W9-ABC-660

Вильмонт

Книги Екатерины Вильмонт:

- Путешествие оптимистки, или Все бабы дуры.
- Полоса везения, или Все мужики козлы.
- Три полуграции, или Немного о любви в конце тысячелетия.
- Хочу бабу на роликах!
- Плевать на все с гигантской секвойи. Умер-шмумер.
- Нашла себе блондина!
- Проверим на вшивость господина адвоката.
- Перевозбуждение примитивной личности.
- Курица в полете.
- Здравствуй, груздь!
- Гормон счастья и прочие глупости.
- Бред сивого кобеля.
- Зеленые холмы Калифорнии. Кино и немцы!
- Два зайца, три сосны.
- Фиг с ним, с мавром! Зюзюка, или Как важно быть рыжей.
- Крутая дамочка, или Нежнее, чем польская панна.
- Подсолнухи зимой (Крутая дамочка-2)
- Зюзюка и другие (Сб.: Зюзюка, или Как важно быть рыжей; Зеленые холмы Калифорнии; Кино и немцы!)
- Цыц!
- Девственная селедка.
- Мимолетности, или Подумаешь бином Ньютона!
- Артистка, блин!
- Танцы с Варежкой.
- Девочка с перчиками.
- Шалый малый.
- Трепетный трепач.
- Прощайте, колибри, Хочу к воробьям!
- У меня живет жирафа.
- Черт-те что и сбоку бантик.

Екатерина

Вильмонт

Черт-те что и сбоку бантик

ЖАНРЫ

АСТ
Москва

УДК 821.161.1
ББК 84 (2Рос=Рус)6
В46

Вильмонт, Екатерина Николаевна

В46 Черт-те что и сбоку бантик / Екатерина Вильмонт. — Москва: АСТ, 2014. — 319, [1] с.

ISBN 978-5-17-085564-3 (Романы Екатерины Вильмонт)

Разработка серии дизайн-студия «Графит»

Дизайнер — Екатерина Ферез

В оформлении используется картина Пьера Огюста Ренуара «Сад». (1875 г.)

Скромная журналистка Наталья Завьялова даже отдаленно не могла предположить, чем обернется рядовая командировка в Питер. Сама она определяет случившееся с ней как цунами. Казалось бы, после цунами остаются обломки, но настоящая любовь помогает ей и ее любимому построить из обломков плот, чтобы плыть к новым берегам...

УДК 821.161.1
ББК 84 (2Рос=Рус)6

© Вильмонт Е.Н., 2014
© ООО «Издательство АСТ», 2014

Подумаешь, как счастье своенравно!

А. С. Грибоедов

Часть 1

Поезд остановился. Глеб Витальевич не спеша оделся и вышел из вагона. Хорошая штука этот «сапсан». Терпеть не могу ночные поезда. Непременно встретишь знакомых, с которыми обязательно нужно выпить и полночи слушать их ламентации по самым разным поводам, от международной политики до сугубо личных дел. А у него и своих проблем выше головы, зачем ему чужие? А тут сел в поезд без четверти семь утра, а через три с половиной часа уже в Питере. Ни разу еще в этом поезде он не столкнулся ни с кем из знакомых. Благодать! Шофер, который должен был его встретить, опаздывал. Ничего страшного, сказал он себе. Не бесись, не все же такие пунктуальные, как ты. И тут он вдруг увидел у соседнего вагона молодого мужика с табличкой и букетом цветов. На табличке крупными буквами значилось: «Самая обворожительная шатенка с неотразимой улыбкой». Глеб Витальевич улыбнулся. Чего только не придумает нынешняя молодежь. Интересно было бы взглянуть на эту самую обворожительную, небось, страхолюдина какая-нибудь... Но тут он заметил, что встречающий радостно замахал букетом и протянул руки к женщине, выходящей из вагона, при этом табличка упала на не слишком чистый перрон. Глеб Витальевич сделал несколько шагов в том направлении, хотелось получше разглядеть женщину. Он умел переключаться на посторонние вещи, и это сберегало много нервных сил. А женщина и впрямь была хороша. И улыбка действительно неотразимая. Ах, как она улыбалась... Молодой человек чмокнул ее в щечку. Взял чемоданчик, и они пошли к выходу, весело болтая. Это не было похоже на встречу влюбленных. Странно. Такая табличка... А, может, он встречал ее по просьбе друга? Или это его сестра? А тебе-то что, Глебушка? Ты-то тут причем?

— Глеб Витальевич, простите ради бога, на Петроградской попал в пробку...

— Ладно, поехали!

И тут же он забыл о прелестной незнакомке. Включился в рабочий ритм.

Переговоры проходили «в теплой дружественной обстановке». Он приехал в Питер сам, чтобы ничего не упустить, не полагаться в столь важном деле на заместителей. Принцип «хочешь сделать хорошо, сделай сам», в конце концов, никто не отменял. И на сей раз все действительно получилось хорошо. Все-таки я молодец, с удовольствием подумал он. И тут же позвонил домой. Он был достаточно суеверен. Но и дома все было в порядке. Младший сын сидел, как почти всегда, за роялем, а старший, сообщила жена, только что звонил. Он учится в Англии. Вот и славно, выдохнул Глеб Витальевич. Как приятно узнать, что твой сын, которому пятнадцать, сидит не за компьютером, а за роялем... Впрочем, компьютером парень тоже не брезгует, но как говорится, без фанатизма. Словом, все путем.

В Питере он любил останавливаться в отеле «Петро-палас», что на Малой Морской. Там было достаточно комфортабельно, но не пафосно, чего он не любил. И к тому же утром можно будет прогуляться к Неве, если погода позволит. И вообще от всего близко. И от Дворцовой площади и от Исаакия и от Адмиралтейства. Он любил Питер и никогда не упускал случая лишний раз побывать тут. «Строгий стройный вид» любимого города как-то странно успокаивал его. Но он любил бывать здесь один. Зайти в кафе, выпить чашку кофе, почему-то казалось, что в Питере кофе вкуснее, чем в Москве. Но он никогда никому об этом не говорил.

— Глеб Витальевич, какие планы на завтра? — спросил Толя, прикомандированный к нему водитель.

— В половине одиннадцатого жду.

— Есть!

Да, утром не погуляешь, в декабре в десять еще темно. Да и вообще весь завтрашний день расписан по минутам. Ох, тяжела ты шапка Мономаха, даже если в твоем ведении не огромная Россия, а всего лишь один, да и то не самый главный телеканал, но взялся за гуж... ладно, назад поеду трехчасовым «сапсаном» послезавтра. В первом классе и поработать можно. А уж послезавтра с утра никаких дел нет. Хорошо!

Наутро он спустился в ресторан. Он получал огромное удовольствие от этих гостиничных завтраков. Ешь, что понравится, никто не будет считать калории, говорить о пользе или вреде того или иного блюда. И первым делом положил на тарелку два пирожка, с капустой и мясом. Взял несколько кусочков очень аппетитной лососины... Почему-то в Москве та же самая рыбка называется семгой. Лососины там нет в принципе. А еще хлеб, масло и яйцо всмятку. С удовольствием все это умяв, он налил себе чаю из большого самовара, и взял две удивительно аппетитные с виду сладкие булочки. Гулять так гулять. Он откусил кусок булочки, ощутил истинное блаженство и тут же заметил задумчиво бредущую вдоль столов со снедью давешнюю шатенку. Она была в зеленом шерстяном платье и высоких сапогах. Фигура у нее что надо, как, впрочем, и лицо. И она не такая уж юная. Ей лет тридцать. Держится уверенно. Не мой тип, подумал он. Или просто виноград зелен? Зелен, зелен... Тем более и платье у нее зеленое...

Незнакомка выбрала себе что-то и села. Черт возьми, до чего интересное лицо. Ах, как бы она смотрелась на экране. В ней есть некая изысканность. Но она, скорее всего, не имеет никакого отношения к масс-медиа. Да и не в чести нынче интеллигентные лица на телевидении. Там в основном правят бал хабалки, невыносимые наглые хабалки. Что ж, спрос рождает предложение. А жаль! Он вытер губы и встал. Виноград пусть себе зреет. От зеленого бывает ой как плохо!

И он забыл о незнакомке. Слишком много дел предстояло. Вспомнил о ней только утром следующего дня. Но она не пришла на завтрак. То ли уже уехала, то ли еще спит, или поела раньше. А впрочем, бог с ней. Он опять с удовольствием позавтракал. Потом поднялся в номер, оделся и вышел на улицу. Было еще темно. Но его это не смутило и он направился к Исаакиевскому собору. Заходить не стал, обогнул его и подошел к Медному всаднику. С Невы веяло холодом. Как я люблю этот город... Может, потому что когда-то встретил тут Таню? Именно тут, у Медного всадника. Ему было двадцать, а ей восемнадцать... Он был нищ, как церковная мышь. И Таня тоже. Но разве это мешало чему-нибудь? Они тогда и не думали о материальных благах. Им было хорошо вместе, и казалось, впереди столько счастья... Тани давно нет в его жизни и счастья тоже. А было ли оно вообще? И бывает ли? Нет, бывают только мгновения счастья. И почти все эти мгновения странным образом были связаны с Питером... И старший сын тоже родился в Питере. Странно, в Москве его никогда не посещают такие праздные мысли. И на отдыхе в разных странах мира тоже. Он всегда думает о делах, о работе и только в Питере ему удается ненадолго от этих мыслей освободиться. Он вдруг замерз. Ничего, зайду в какое-нибудь кафе, согреюсь и пойду дальше, машина придет только в два, так что время есть. Он вышел на Большую Морскую. И тут же увидел какое-то кафе. Толкнул дверь и вошел. Милая девушка приветствовала его. Он повесил пальто на круглую вешалку, пригладил волосы, сел и сразу попросил принести кофе по-ирландски. Хорошо согревает, проверено. И тут он заметил знакомую незнакомку. Она сидела за столиком и нервно поглядывала на часы. Ждет кого-то. Похоже, она не выспалась, на бледном лице было написано раздражение. Но тут в дверь влетел какой-то парень в клетчатой куртке. Лицо его показалось Глебу Витальевичу знакомым. А, это Андрей Лутохин, входящий в моду артист питерского театра, Глеб Витальевич забыл, какого именно. Парень уже снялся в нескольких неплохих фильмах, а после весьма удачного сериала стремительно набирал популярность. Так, это не рандеву, это, похоже, интервью. Ага, значит, она журналистка — выложила на стол диктофончик, вооружилась пухлым блокнотом. Улыбнулась запыхавшемуся артисту, и он, похоже, сразу растаял. Глебу Витальевичу не было слышно, о чем они говорят. Но он глаз не сводил с лица шатенки. И сердце замерло в радостном предчувствии удачи. Он был профессионалом высочайшего класса и сразу увидел, что девушка может быть замечательным приобретением для его канала. Не пори горячку, Глебушка, сказал он себе, с ней надо еще поговорить. Может, у нее некрасивый голос, вульгарные интонации, может, она вообще непроходимая дура. Ему расхотелось гулять. Он решил дождаться конца интервью. И заказал себе еще кофе. Здесь взбитые сливки присыпали хорошо прожаренными кофейными зернами. Он с удовольствием их разгрызал. Но вот Лутохин взглянул на часы и стал прощаться. А парень хорош, ревниво подумал Глеб Витальевич. Лутохин умчался, а незнакомка стала собирать свои вещи и подозвала официантку. Но вместо счета та подала ей кусок торта.

Глеб Витальевич встал и направился к ее столику.

— Простите великодушно!

Она вскинула на него глаза. Они оказались серо-зелеными. В них мелькнуло узнавание. Но она не была уверена.

— Позвольте к вам обратиться?

— Да, пожалуйста. Садитесь.

— Я...

— Глеб Витальевич, вы можете не представляться, — улыбнулась она.

— О, я польщен! А вы...

— А я журналистка, Наталья Завьялова.

— А где...

— Я фрилансер.

— А...

Голос у нее чудесный. Она выжидательно смотрела на него. Но без тени дешевого кокетства, лишь с легким недоумением. Что могло понадобиться главе телеканала от скромной журналистки? Он заметил на пальце обручальное кольцо.

— Наташа, я давно думаю сделать у себя на канале программу...

Она вспыхнула.

— ...«Разговор по душам» или что-то в этом роде. Но я пока не видел никого, кто мог бы с этим справиться. У меня очень высокие требования. Мне нужен человек, который умеет разговаривать с людьми и при этом управлять разговором. Не перебивать каждую минуту собеседника, чтобы показать себя, но и не давать ему уходить в сторону и нарушать хронометраж, а при этом быть еще и личностью... Ну и красивой женщиной, конечно.

Ее лицо пылало.

— Ну, что скажете?

— А что я, собственно, могу сказать? Конечно, это интересно, но я не очень понимаю, какое это ко мне имеет отношение? Я никогда не работала на телевидении.

— Но попробовать-то хотели бы?

— Я не знаю... Не думала как-то...

— Какое у вас образование? Журфак?

— Нет. Филфак МГУ.

— Еще лучше! Я тут наблюдал, как вы общались с Лутохиным, и мне понравилось, как живо вы реагировали, создалось впечатление, что человек, с которым вы говорили, вам интересен.

— Понимаете, если человек мне совершенно не интересен, я просто не имею с ним дела. Я ведь свободный художник.

— Ну, на телевидении вам пришлось бы иметь дело с разными людьми...

— Я это понимаю.

— То есть вы готовы попробовать?

— Вероятно, нельзя пренебрегать таким шансом, — улыбнулась она.

— А можно один личный вопрос?

— Да.

— Кто вас позавчера встречал на вокзале?

Она рассмеялась.

— Это мой брат. Он вечно что-нибудь выдумывает.

— А когда вы возвращаетесь в Москву?

— Завтра.

— Оставьте мне ваши координаты, с вами свяжутся и пригласят на пробы... Хотя нет. Сделаем не так. Я пока не хочу ворошить наш муравейник. Я сам вам позвоню, и мы сделаем пробы, так сказать, в частном порядке...

— Глеб Витальевич!

— Простите, это прозвучало как-то двусмысленно. Ради бога простите, я ничего не имел в виду. Просто я устрою вам сначала пробу в каком-нибудь кафе. Вы возьмете интервью у одной артистки, моей родственницы...

— Вероники Сизовой?

— Именно! — рассмеялся он. — Вас снимет хороший оператор. Я ничего вам не обещаю, кроме этой пробы. Меня там не будет, я просто посмотрю материал и тогда решу, стоит ли вообще затеваться. Вас такой вариант устраивает?

— Вполне.

— Вот и чудесно! А сейчас мне надо спешить.

В поезде он первым делом открыл ноутбук, завел в поисковик «Журналист Наталья Завьялова». Сведений было вполне достаточно. Завьялова Наталья Алексеевна, 1981 года рождения, окончила романо-германское отделение филфака МГУ, замужем, имеет дочь 2005 года рождения. По окончании университета работала в школе, затем в газете «Московская правда», затем на радио и в газетах «Труд» и «Известия», в настоящее время на вольных хлебах. Затем он нашел некоторые ее интервью с известными людьми.

И поразился их небанальности. Здорово! Вот вроде бы все, что интересно массовому читателю, там есть, а при этом она всегда отлично подготовлена к теме, никогда не плавает, как иные журналисты, в привычном море общих слов и положений, к каждому у нее свой подход и она всегда знает, что говорит, и в то же время у нее чувствуется свое собственное, не всегда, впрочем, лестное, мнение об интервьюируемом. Кажется, это именно то, что я хотел... Надо еще посмотреть, как она будет держаться перед камерой и, главное, сможет ли работать в команде. Ведь одно дело самой готовиться к интервью, и совсем другое, когда работаешь в команде. Телевидение это командная игра. Как бы ни был хорош солист, а без хорошей команды он никто. Команду я соберу, с этим проблем не будет, но сработается ли она с командой? Вот почему-то она ушла на вольные хлеба... Впрочем, у нее ребенок, возможно, именно из-за ребенка. Дочке всего девять лет, а работа у нас потребует очень много времени. Что ж, поглядим, попытка все же не пытка. Но если все сложится, надо будет закабалить ее контрактом так, чтобы не перехватил Первый канал. Они любят снимать сливки. Хотя она для них, вероятно, слишком изысканна, они продвигают в последнее время таких хабалок...

— Наташка, ты чего такая? — спросил брат, сразу увидевший, что она донельзя взволнована. — Что-то случилось?

— Еще нет, Женька, но может случиться...

— Плохое или хорошее?

— Откуда я знаю!

— Выкладывай! — потребовал брат.

— Даже боюсь говорить... Чтоб не сглазить.

— Тогда, значит, это хорошее. Я не сглажу, ты же знаешь!

— Жень, вообрази, я сегодня брала интервью у Лутохина.

— И он в тебя влюбился?

— Да нет... — поморщилась Наташа. — Но когда он убежал, ко мне вдруг подошел... Кузьмин...

— Певец?

— Еще не хватало! Нет, Глеб Витальевич Кузьмин, глава ТВ-Супер.

— И что?

— Спросил, не хочу ли я вести у них на канале программу «Разговор по душам» или что-то в этом роде.

— Супер! Вот уж воистину супер! А ты что?

— Ну, я сказала, что в принципе можно попробовать... — дрожащим от волнения голосом проговорила Наташа.

— А ты бы этого хотела?

— А ты как думаешь?

— Кто тебя знает! Ты сколько раз отказывалась от, казалось бы, прекрасных предложений.

— Большинство из которых на поверку оказывались мыльным пузырем. А тут...

— Он положил на тебя глаз? Значит, мужик со вкусом!

— Вообще-то он обратил внимание на меня только благодаря твоему дурацкому плакатику на вокзале!

— Да ну? Значит, не такой уж он дурацкий! — рассмеялся Евгений. — А ты чего не ешь? Надькин грибной суп — это шедевр!

— Знаю, и мечтала о нем, но сейчас просто ничего в горло не лезет.

— Тогда выпей рюмку водки!

— Да, наверное... Я ж тут не за рулем, давай!

— Значит, моя сестренка в скором времени может стать суперзвездой телеканала «Супер»? За это надо выпить!

— С ума сошел! Пока об этом рано даже говорить. Кузьмин сказал, что... Похоже, у них там тот еще гадюшник. Меня там запросто сожрать могут. Он сказал, что пробы мне устроит в частном порядке.

— Это в койке, что ли?

— Я в первый момент тоже так подумала, но он дико перепугался! Нет, просто пробы будут не в студии, а в кафе, где я буду брать интервью у его родственницы, Сизовой.

— Актрисы?

— Ну да!

— Еще лучше! Ты, по крайней мере, не зажмешься так, как зажалась бы в студии.

— Конечно, но с другой стороны, а вдруг, если дело дойдет до студии, я так зажмусь, что все провалю?

— Да с чего бы это? Ты что, уродка какая-нибудь или безграмотная дура? У тебя с ай-кью все в порядке, ты работала на радио, а в телевизоре вообще будешь охренительно прекрасной! И у тебя, главное, есть свой стиль... В наше время это очень-очень важно. И вообще, Наташка, я всегда знал, что рано или поздно ты станешь звездой!

— Да ладно...

— Ты дуреха, сестренка, цены себе не знаешь, замуж плохо вышла...

— Да чем же плохо? Артур известный адвокат...

— Ну и черт с ним! А племяшка моя всегда будет Артуровной, бред какой-то! Анастасия Артуровна, куда это годится?

— Опять двадцать пять! — рассмеялась Наташа. — Артур же не виноват, что его назвали Артуром!

— Не виноват! Но когда получал паспорт не хватило ума взять нормальное имя.

— Не ворчи, братишка, я знаю, что ты Артура не жалуешь, но мне на это начхать, если честно.

— Вот помяни мое слово — если ты станешь телезвездой, а ты таки ею станешь, он будет ох как недоволен!

— Да почему?

— Да потому, что с женщины, работающей на телевидении, уже не потребуешь, чтобы она сама рубашки ему стирала и так далее...

— Он ничего с меня не требует.

— А с тебя и требовать не надо! Ты сама ему всегда верой и правдой служила. А теперь не сможешь, и я этому жутко рад!

— Женька, окстись, ты уже считаешь, что моя телевизионная карьера состоялась, а я в этом сильно сомневаюсь.

— Ну и зря! Ты должна настраивать себя на успех, ведь если ты в него не веришь, его и не будет!

— Это верно, братик!

...В поезде Наташа достала планшетник и принялась искать информацию об известной театральной актрисе Веронике Сизовой, двоюродной сестре Кузьмина. Это была женщина своеобразная, с нелегкой актерской судьбой, известность пришла к ней в сорок лет, после роли леди Макбет, сыгранной случайно, на замене, когда основная исполнительница попала в больницу после тяжелой автомобильной аварии. Дело было на гастролях в Шотландии, на театральном фестивале. Положение в труппе было безвыходное, и Сизову выпустили, что называется, с горя. Но она произвела фурор! С тех пор прошло восемь лет, и за эти годы Сизова переиграла массу классических ролей. Ее приглашали в кино, но один опыт оказался неудачным, она себе категорически не понравилась на экране и с тех пор отказывается играть в кино и на телевидении. Характер у нее нелегкий, интервью давать она не любит. И не факт еще, что согласится участвовать в пробе какой-то неведомой журналистки. Но если все же согласится, надо не ударить лицом в грязь.

Наташа даже не заметила, как поезд прибыл на Ленинградский вокзал. И очень удивилась, заметив на перроне мужа.

— Артур? Что-то случилось? — испугалась вдруг она.

— Да почему? — широко улыбнулся он. — Просто выбралось время, так почему бы не встретить любимую жену?

— Что ж, спасибо. Как там Аська?

— Аська? Все хорошо. Уроки делает. Очень основательная девица у нас растет. И добросовестная.

— Ты на машине?

— Что за вопрос, любовь моя?

— Но в Москве сейчас такие пробки...

— И что? По-твоему я буду ездить на метро? Да ни за какие коврижки! При наличии современных гаджетов в пробках можно делать кучу дел. А ты что такая вздрюченная? Что-то случилось?

— Да нет, все в порядке.

Наташа решила пока не говорить мужу о предложении Кузьмина. А то мало ли...

— Как там твой брат?

— У него все хорошо! Представь себе, он встречал меня с табличкой: «Самая обворожительная шатенка с неотразимой улыбкой»!

— Что за чушь?

— Почему чушь? Просто прикол! Или ты уже не считаешь меня обворожительной?

— Ну что ты, дурочка! Конечно, считаю! Просто не лень более чем взрослому мужику такой фигней заниматься?

— Значит, не лень! — пожала плечами Наташа.

Разумеется, на Садовом кольце они попали в пробку.

— Натуль, ты не обидишься, если я пока просмотрю кое-какие документы?

— Ради бога! — даже обрадовалась Наташа. — Я тоже пока поработаю.

И каждый занялся своим делом.

Прошло минут сорок, а они все стояли. И компьютер сообщал, что в Москве почти что транспортный коллапс.

У Наташи зазвонил телефон.

— Алло!

— Наташа, это Кузьмин! Вы уже в Москве?

— Да, стою в кошмарной пробке на Садовом.

— Сочувствую! Наташа, вы могли бы завтра к половине второго приехать в «Твин Пиггс», знаете, где это?

— Да-да, знаю, конечно!

— Я договорился с Вероникой, она согласилась. Если получится хорошо, это интервью мы где-нибудь опубликуем. В каком-нибудь журнале. А, возможно, и в эфир пустим. Вы согласны?

— Разумеется. Я буду. Грим нужен?

— Гример будет. У нас свои требования.

— Да, я понимаю.

— Вы успеете подготовиться?

— Именно этим я в пробке и занимаюсь.

— Вы молодчина! Итак, завтра в половине второго.

— Буду!

— Кто это звонил?

— Это по работе.

— Я понял. Но почему ты так раскраснелась?

— Просто обрадовалась.

— Чему ты так обрадовалась?

— Завтра беру интервью у Сизовой. Она редко дает интервью. А тут согласилась.

— А что это за вопрос про грим?

— Это интервью хотят снять на камеру.

— Зачем?

— Откуда мне знать?

— А что это за Сизова такая? Что за птица?

— Вероника Сизова, театральная актриса, недавно получила «Золотую маску» и еще какую-то премию, о ней снимают материал для телевидения.

— Для телевидения? А ты здесь с какого боку?

— Не знаю! Меня пригласили, так не отказываться же мне от такого предложения, согласись, это было бы глупо!

В душе нарастало глухое раздражение. С чего это такой пристальный интерес к ее делам? Он или что-то чует, или... он в чем-то виноват и хочет спровоцировать ссору, чтобы в результате была виновата я. Он опытный адвокат и отлично умеет манипулировать людьми.

Наконец пробка начала рассасываться. Мужу и жене пришлось отложить свои гаджеты.

— Что нового? — спросила Наташа.

— Да ничего особенного. У мамы очередной приступ мигрени и все, что этому сопутствует. У меня через неделю процесс по Митинскому делу. Да, ты помнишь, что завтра к нам придут ребята?

— Ох, совсем забыла! Ладно, я что-нибудь соображу. Артур, а ты не мог бы пойти с ними в ресторан?

— С какой это стати?

— Я же сказала, у меня важное интервью!

— Ничего, ты все успеешь! И потом нельзя создавать такой прецедент! Ведь Колян не сможет приглашать нас в ресторан, это будет неловко.

— Ладно, тогда давай прямо сейчас зарулим в «Ашан», я все куплю и сегодня приготовлю.

— Нет, только не «Ашан»! Там сейчас такая прорва народу!

— Ладно, я завтра с утра смотаюсь на рынок. Хотя могу не успеть приготовить... Хорошо, заедем в «Азбуку вкуса».

— Вот и славно, по крайней мере, вполне цивилизованное место.

— Но там куда дороже, чем в «Ашане».

— Лапочка, ты забыла, что твой муж теперь неплохо зарабатывает?

— Годится!

Приехав домой с покупками, Наташа пообщалась с дочкой, которая уже ложилась спать, а потом пошла на кухню готовить ужин для «ребят». Ребятами назывались друзья Артура, которые раз в месяц непременно собирались у кого-то одного. «Ребят» было трое, Константин, Кирилл и Колян. Колян был военным врачом, Кирилл топ-менеджером в крупной фирме, а Константин модным архитектором. Все они были женаты, но встречались без жен. Наташе нравилась эта дружба мужчин. В ней было что-то настоящее. И мужчины нередко приходили на помощь друг другу, что только подтверждало это ее мнение. Когда у Наташи тяжело заболел отец, Колян помог обследовать его в Красногорском военном госпитале, а когда выяснилось, что результаты обследования весьма неутешительны, он помогал чем мог. А когда отца не стало, Константин бесплатно сделал памятник на его могилу, скромный, но изысканный и стильный, который очень понравился маме. Артур помог младшему брату Кирилла, когда тот ввязался в судебный процесс с бывшей женой, которая намеревалась ободрать его как липку. Наташа считала, что умение дружить хорошо говорит о людях и очень любила «ребят». И готовила для них всегда с удовольствием. Вот и сегодня, хотя все ее мысли были заняты предстоящим интервью, она подготовила начинку для большого мясного пирога, а тесто на сей раз купила готовое, слоеное, оно было ничуть не хуже ее собственного, но Артуру она об этом не скажет. Поставила варить красную фасоль для лобио. На кухню заглянул Артур.

— Помощь не требуется?

— Требуется! Открой мне все эти банки!

— Без проблем!

— А еще вынеси на балкон вот эту кастрюлю и положи бутылки в морозилку!

— Есть! Устала?

— Не очень!

— Да ладно, я же вижу! Ничего, следующая встреча у нас будет только в апреле!

— Это утешает! Да, Артур, я завтра...

— Я помню, у тебя завтра интервью.

— Я с утра буду занята. Отвези Аську в школу.

— Без проблем, отвезу, и заберу, кстати, тоже.

— Вот спасибо!

— У тебя не такой уж плохой муж.

— А я разве когда-нибудь утверждала обратное?

— Бывало, лапочка, бывало!

— Ну, так и я за эти годы кем только ни была — и мерзавкой, и шлюхой, и...

— Все, хватит! А вообще, пора спать, я соскучился!

И он многозначительно посмотрел на жену.

— Ладно, — засмеялась Наташа, — сейчас душ приму и приду.

У нас все хорошо, даже замечательно, успела подумать она, засыпая.

...Наташа не помнила, когда в последний раз она так нервничала. С чего я распсиховалась? Неужто так жажду попасть на телевидение? Да вроде нет... Тогда в чем дело? Ну, допустим, я им не сгожусь, что, моя жизнь в профессии кончится? Нет, конечно. А даже если? Что, муж меня не прокормит? Да и дочке я нужна постоянно, уговаривала она себя по дороге в Останкино. Слава богу, удалось добраться без пробок. Это хороший знак. Войдя в ресторан, она огляделась. Кажется, еще никого нет. Она спросила у официантки, не ждет ли ее кто-нибудь. Нет, пока никого нет. Вот и хорошо. Она заказала себе чашку кофе. Едва отпив глоток, увидела, что в дверях появилась Сизова. На ней было очень элегантное твидовое пальто и вообще она выглядела шикарно. Как-то по-театральному шикарно, отметила про себя Наташа и подошла к актрисе.

— Вероника Валентиновна?

— Я! А вы...

— А я должна взять у вас интервью. Меня зовут Наталья Завьялова.

— Весьма приятно, а что, никого больше не будет?

— Да нет, должен быть еще кто-то, с камерой и...

И тут в ресторан ввалилась группа людей. Девушка с большим чемоданчиком. Визажистка, сообразила Наташа. Молодой человек с видеокамерой, мужчина средних лет тоже с какой-то аппаратурой.

— Дамы, сейчас будем делать лицо! — заявила девушка с чемоданчиком.

— Я ничего с лицом делать не дам! — решительно возразила Вероника Валентиновна.

Девушка окинула ее внимательным взглядом.

— Да вас только попудрить надо будет. А вы, женщина, уж потерпите! — обратилась она к Наташе.

— Я потерплю, — улыбнулась та. — Но не тут же нам этим заниматься...

— Большое дело! Пусть люди смотрят.

— Нет, я не хочу, я сейчас что-нибудь придумаю.

Наташа поговорила с официанткой и их пустили в зал, который сейчас не обслуживался.

— А кстати тут и снимать лучше, — заметила Сизова.

— Пожалуй, — согласился оператор.

Девушка, которую звали Роза, минут пятнадцать колдовала над Наташиным лицом.

— Черт возьми, а ты мастер! — сказала Сизова. — Только знаешь, вот тут лучше чуточку растушевать.

— Я и собиралась, я ведь еще не закончила.

— Хочешь сказать — целому дураку полработы не показывают?

— Заметьте, не я это сказала! Ну вот, готово! — и она протянула Наташе зеркало.

— Ох! Ничего себе! — воскликнула та. — Здорово!

— Ты красивая, зараза! — сказала Сизова. И посмотрела на часы. — Давайте работать, у меня сегодня спектакль. На сколько твое интервью рассчитано?

— На час.

— А формат какой?

— Пятьдесят две минуты, — ответил оператор.

— Поехали!

Это было не интервью, а поединок. Поначалу Сизова отвечала на довольно обычные вопросы, и вдруг Наташа стала спрашивать ее о том, чего она никак не ожидала. Она сначала удивилась, потом рассердилась, потом сменила гнев на милость, потом еще больше удивилась, и все ее эмоции отражались у нее на лице, они захлестнули ее настолько, что она уже с ними не справлялась. Наташа так умело выстроила разговор, что приятные вопросы перемежались неприятными, а потом Наташа приводила весьма лестные отзывы об артистке знаменитых театральных деятелей Европы, и ее актерская душа опять таяла. Оператор, визажистка и администратор только диву давались. Закончила Наташа словами:

— Не зря меня предупреждали, что с гениальными артистками всегда непросто. Мне и было непросто. Спасибо вам огромное, Вероника Валентиновна.

— Обалдеть! — проговорила артистка. — Да ты меня наизнанку вывернула. Я много лишнего наболтала. Надо вырезать. Впрочем, я поговорю с Глебом! Всего доброго, я спешу!

— Здорово вы ее, — с улыбкой заметил оператор. — Трудный кадр?

— Не то слово! Я как выжатый лимон.

— Это было так интересно, — сказала Роза. — Хотите, я сниму грим?

— Нет, спасибо, это надо показать мужу! — улыбнулась Наташа.

Артур и Аська были уже дома.

— Ой, мама, какая ты красивая!

— В самом деле, лапочка, выглядишь ослепительно! Это грим?

— Нет, просто я вдруг странным образом похорошела, видимо, после прошлой ночи, — прибавила она едва слышно.

Артур довольно рассмеялся.

Обычно в день, когда приходили «ребята», Наташа брала дочку и ехала ночевать к подруге, у которой тоже была дочка, ровесница Аськи, и девчонки обожали эти визиты, как, впрочем, и мамы.

— Мам, а мы сегодня поедем к тете Лоре?

— Конечно!

— А папа тут будет с друзьями бедокурить?

— Как ты сказала? — покатился со смеху Артур. — Здорово! Да, Асюта, папа будет бедокурить!

Увидев реакцию отца, девочка проговорила с лукавой улыбкой:

— Артур-бедокур!

Он чуть не задушил дочь в объятиях от восторга.

— Вот ребята порадуются! Да, Натуля, а как интервью прошло?

— Непросто!

— Устала?

— Есть немножко.

— А где его будут показывать?

— Ну, если будут, то на канале Супер.

— А тебе диск не дали?

— Пока нет, но обещали.

— А ты что такая напряженная?

— Да нет, тебе показалось.

Наташа накрыла стол, дала мужу все указания. Потом пошла в ванную и с великим сожалением смыла грим. Если дело выгорит, надо будет завести собственный грим, подумала она и тут же себя одернула. Что за бред? Кто это будет на меня программу на телевидении делать? С ума я сошла, что ли? Я им не подойду, я для них никто. У меня морда не медийная. Да не больно-то и хотелось.

В машине Аська спросила:

— Мама, а почему мы всегда уезжаем, когда к папе эти гости приходят? Вот они же приходят, например, на его день рождения вместе с другими гостями...

— Видишь ли, Аська, мужчинам иногда надо побыть вместе без женщин, им это полезно.

— А нам, женщинам, тоже надо побыть иногда без мужчин?

— А как же! Обязательно!

— Мы поэтому к тете Лоре ездим? Потому что там нет мужчин?

— Именно!

— А торт будем покупать?

— А как же!

...Девчонки с визгом кинулись друг дружке в объятия и убежали в комнату Люськи делиться секретами.

— Наташ, ты чего такая бледная?

— Да день тяжелый был.

— А что, обязательно надо выметаться с ребенком из дому? Просто в другой комнате побыть нельзя?

— Лор, ну зачем? Пусть уж побудут одни, а то начнут меня звать, а это ни мне, ни им не надо. У меня, Лор, такая история случилась в Питере...

— История? Как интересно! Рассказывай!

Наташа рассказала.

— И он прямо с ходу тебе пробу устроил?

— Да.

— Очень подозрительно, подруга!

— Что подозрительно?

— Он же явно на тебя глаз положил.

— Да ладно, — поморщилась Наташа.

— А вообще-то он прав, тебе давно пора на телевидение. Таких там мало. Ох, как я буду гордиться!

— С ума сошла? Чем ты собираешься гордиться?

— Тобой! Люди будут обсуждать твои программы, а заодно и тебя, и твою личную жизнь, а я как бы между прочим заявлю: «Это все чепуха, уж я-то знаю, она моя лучшая подруга».

Женщины расхохотались.

— Короче, Наталья, если все выгорит, этот Кузьмин может запросить гонорар.

— Какой гонорар?

— Не будь дурой!

— Перетопчется! Для таких, как он, самое важное — рейтинг, так что если рейтинг будет высокий, он перетопчется как миленький.

— А он хоть интересный?

— Вполне.

— А сколько лет?

— Сорок восемь. Жена и двое детей. Жена первая и единственная.

— Все разузнала?

— Нет. Я и раньше все это знала. Мне хотели поручить с ним интервью, но что-то тогда не срослось.

— А Сизова, значит, тебе не понравилась?

— Скорее нет, чем да. Она все время что-то играет и прежде всего играет себя. Мне все-таки удалось несколько раз порушить эту игру и пробиться к ней настоящей. А там такие комплексы, такая неуверенность, что мне даже жутко сделалось и жалко ее...

— Ни фига себе! А она ведь очень хорошая актриса.

— Верно! Но самая лучшая ее роль это вовсе не леди Макбет, а Вероника Сизова.

— Как интересно! А она не возненавидит тебя?

— Откуда я знаю?

Девчонки давно уже спали, а Наташа с Лорой все еще сидели на кухне.

— Скажи, Наташ, а тебе не обидно, что раз в квартал тебе приходится выметаться из дома?

— Да ни капельки! Пусть! Я же знаю этих ребят, они все хорошие люди, пусть посидят, выпьют в мужской компании, потешат свое мужское самолюбие, обсудят свои дела, а потом целый месяц живут спокойно...

— Вот интересно, а другие жены такие же терпимые?

— Нет, жена Кирилла каждый раз скандалит, когда надо освободить территорию. Но он на нее особенно внимания не обращает. А остальные, вроде бы, терпят спокойно. Они все еще в школе поклялись друг дружке, что предупредят своих невест об этих встречах. Это ведь в свое время, еще в старших классах, придумал отец Артура, он считал, что для мальчишек это очень важно. И традиция привилась. По крайней мере, все четверо счастливо избежали всяких криминальных соблазнов. Им всегда интересно друг с другом.

— Да? Здорово! Ты раньше не говорила про это... Ой, Наташка, это твой телефон!

— Ох, да! Но где он?

— Да ты его из сумки не вынимала!

Наташа так спешила ответить, что даже не глянула на дисплей.

— Алло, Наташа? Я вас не разбудил?

— Глеб Витальевич? — у нее сердце подскочило к горлу. — Нет-нет, я не сплю.

— Наташа, поздравляю, вы настоящий мастер!

— Вы о чем, Глеб Витальевич? — не поняла она.

— Я посмотрел запись интервью... Блестящая работа!

— Спасибо, я не...

— Наташа, вы сможете завтра часам к пяти приехать в мой офис?

— Да, разумеется.

— Тогда записывайте адрес, я предупрежу секретаря.

— Хорошо, буду!

— Спокойной ночи, Наташа!

— Да, спасибо...

— Что, Наташка, что? Это он звонил, Кузьмин?

— Да. Он.

— Значит, выгорело? Значит, будет у тебя своя программа? Ура!

— Да погоди ты... Про это он ничего не сказал.

— А что, что он сказал?

— Сказал, что я настоящий мастер, и просил приехать к пяти к нему в офис.

— Ну, это же ясно как божий день!

— Не знаю... Мне пока ничего не ясно.

— Тебя можно понять, — засмеялась Лора. — Обалдела от радости.

— Понимаешь, я пока никакой радости не ощущаю. Меня как будто пыльным мешком по голове огрели.

— А давай шампусику дернем, у меня есть хорошее, Абрау-Дюрсо.

— Нет, Лорка, рано...

— Ну, может, ты и права. Только пообещай мне, что как только ты завтра от него выйдешь... Постой, но завтра же суббота. Они что, в субботу тоже вкалывают?

— Ну, наверное.

— Слушай, а как-то все странно... Что значит приезжайте в офис? А офис у него что, не на студии?

— Похоже на то.

— Так, может, он просто тебя потрахаться позвал?

— Ты ненормальная! Он сказал, что предупредит секретаря, и вообще дурь какая-то. Думаю, он прекрасно понимает, что я не из тех.

— А ты точно не из тех?

— Что за наезды, Лорка? — засмеялась Наташа.

— Шучу я!

— Ладно, надо, наверное, спать ложиться.

— И ты заснешь?

— Конечно, нет.

— А Артуру не хочешь позвонить?

— А я пока ему ничего не говорила. То есть я сказала, что брала интервью у Сизовой, но...

— Интересно, почему?

— Потому что боялась, что если ничего не выйдет, он мне долго будет это припоминать.

— А теперь он будет припоминать тебе, что ты от него скрыла...

— Нет. Я сумею все обставить так, будто все это для меня совершенно неожиданно. Скажу, что Сизова показала интервью своему двоюродному брату, а уж он пригласил меня для разговора. Малюсенькая, вполне невинная ложь во спасение.

— В общем и целом да, вполне невинная ложь во спасение. Ты жутко умная баба, Наташка! Двенадцать лет живешь с мужем, и все у вас неплохо. А ты не в курсе, он тебе не изменяет?

— Может, и изменяет, но я пока об этом ничего не знаю и меня это устраивает.

— Да, такая жена — чистое сокровище. От таких не уходят. А я дура дурой...

— Ничего, Лорка, будет и на твоей улице праздник. Ты красивая, талантливая...

— Но я очень ревнивая, это моя беда. Но сейчас не обо мне речь. А ты отдаешь себе отчет в том, что такая работа потребует уйму сил и, главное, времени. Тебе некогда будет заниматься мужем, домом, дай бог на ребенка время останется.

— Лор, я же пока ничего не знаю!

— Чего ты не знаешь?

— Например, с какой периодичностью будет выходить программа. Если раз в неделю, это вообще чепуха.

— А если каждый день?

— Ну, это вряд ли... И потом, такие программы снимают обычно блоками. Ничего, справлюсь. А нет, найду домработницу. Артур сейчас недурно зарабатывает, да и мне же будут что-то платить.

Знаешь, мне такой грим сделали... Мечта! Такая девочка-визажистка, чудо!

— А шмотки?

— Что шмотки?

— Шмотки твои будут?

— Вряд ли. Обычно ведущих одевает какая-то фирма.

— Ох, Наташка... Как все интересно! А я вот все думаю, как к этому Артур отнесется? Ему это может не понравиться.

— Ну, это его проблемы!

— И уж точно это не понравится его маме!

— А вот тут я не уверена! Ей как раз может понравиться обсуждать с подружками все мои промахи. Такая плодородная почва для пересудов!

— Вообще-то да, — фыркнула Лора. — Как бы там ни было, а у тебя начинается новая страница в жизни.

— О да! С этим не поспоришь!

Дома Наташа застала полный порядок. Артур, уже одетый и свежевыбритый, встретил жену и дочь радостной улыбкой.

— Ты куда-то собрался? — удивилась Наташа.

— Да, у меня сегодня встречи с двумя клиентами, дома обедать не буду.

— Артур, но у меня сегодня в пять встреча. Я думала, ты побудешь с Аськой.

— Мама, я могу и одна. Я уже не маленькая.

— А что за встреча?

— Меня пригласил к себе Кузьмин. Он видел мое интервью с Сизовой и хочет поговорить.

— Да? И о чем это?

— Вот встречусь с ним, тогда и расскажу. А пока не знаю.

— Ладно, я постараюсь к полпятого вернуться. В крайнем случае, Аська часик побудет одна. Она и впрямь уже взрослая сознательная девица. Правда, Аська, ты же не станешь тут бедокурить?

— А это зависит от того, насколько во мне сильны твои гены.

— Нет, ты видала эту прохиндейку! — захохотал Артур, схватил дочь в объятия и слегка подбросил. — Кстати, Аська, ребята сказали, что я вовсе не бедокур, а наоборот, примерный семьянин и вообще... Все, девчонки, я побежал! Ненавижу опаздывать!

И он умчался.

— Мама, а вы вообще-то обещали мне сегодня на каток поехать!

— Давай на завтра отложим, а?

— Ну ладно.

— А хочешь, бабушке позвоним? Может, с ней куда-нибудь сходите?

— На каток? — ехидно прищурилась Ася.

— Нет, зачем же, — невозмутимо ответила Наташа. — Может, в дельфинарий или еще куда-то.

— Нет, мам, не стоит. Я лучше одна посижу. Мне папа на днях принес кино про Тома Сойера и Гекльберри Финна.

— Отлично! Чудный фильм!

— Мам, а что, это такая важная встреча у тебя?

— Да, важная. Ты почему спросила?

— Мам, сейчас двенадцать. Тебе на встречу только к пяти. А ты...

— Мне просто нужно кое-что сделать, потом привести себя в порядок и выйти пораньше, чтобы не опоздать...

— То есть тебе не до меня будет, так?

— Дурочка, мне всегда до тебя, но бывают обстоятельства...

— Ладно, мам, не парься.

Но тут как раз позвонила соседка с шестого этажа, мама Асиного одноклассника, и сказала, что едет с сыном на каток и не хочет ли Ася поехать с ними.

Квартиру огласило такое громкое «ура», что Наташа закрыла руками уши.

— Вот видишь, все складывается как нельзя лучше.

Аська судорожно переодевалась, а Наташа собирала ей сумку.

Вскоре за Асей зашел Антошка.

— Тетя Наташа, мама пошла машину греть и велела спросить у вас, можно будет Асе пойти потом с нами в кафе?

— Да, можно, конечно! Спасибо, передай маме...

— Антон, пошли, я готова!

Наташа сочла это хорошим знаком. И отправила эсэмэску мужу, чтобы не спешил и не волновался. Она по опыту знала, что раньше часов семи Аська домой не попадет. А мама Антона женщина надежная как скала.

Глеб Витальевич поймал себя на том, что здорово волнуется перед встречей с Натальей Завьяловой. Может, я слишком поторопился? Ну ничего, сделаем еще пробу, уже в студии. И надо попробовать, сможет ли она работать без предварительной подготовки. Ситуации бывают разные. Одно дело вести разговор с человеком, которого ты знаешь, о котором успел прочитать хоть что-то... А впрочем, к чему? Программа все равно пойдет в записи, зачем предвидеть какие-то форс-мажорные обстоятельства? Ну, не явится кто-то на интервью, большое дело. Все равно будем снимать по четыре программы в день, так, чтобы был задел хотя бы на месяц вперед. Работа, конечно, адова, но никто тут нирваны не обещает. Телевидение это и есть адова работа. Но она мастер, эта Наташа. Как она сумела буквально наизнанку вывернуть Веронику! Это дорогого стоит. А Вероника, с одной стороны, разозлилась, а с другой... Позвонила мне и сказала: «Глебка, пообещай мне, что эта твоя Наташа сделает интервью с Бакуниной и выжмет ее как половую тряпку, чтобы все увидели, какое это дерьмо!» Он пообещал со смехом, а потом подумал, что, пожалуй, это может быть интересно. Бакунина действительно редкая дрянь, но пользуется большой популярностью. Так что если все срастется, то почему бы и нет?

Она должна явиться к пяти. В четыре он уже не находил себе места. И хотя дел было по горло, но в голове гвоздем сидела мысль: а вдруг она мне сегодня не понравится? И хорошо бы не понравилась... То есть как журналист она мне уже понравилась, да что там, просто восхитила, у нее прирожденный талант интервьюера. Но как женщина... Мне так хотелось бы в ней разочароваться, с тоской подумал он. Черта с два, Глеб Витальич, ты уже в нее по уши влюбился. А как же твой принцип — на работе никаких шашней? Да какие там шашни, о чем ты? Служебный роман? Какой к чертовой бабушке роман? Ей тридцать два, мне сорок восемь... Ее мужу тридцать пять, молодой, красивый, достаточно успешный мужик. Причем тут ты? Я знаю, многие продюсеры пользуются служебным положением, еще как пользуются, но я считаю это пакостью — пользоваться служебным положением. Такой вариант исключается категорически, не говоря уж о том, что это в любой момент может стать достоянием гласности. То есть ты, старый дурак, допускаешь возможность того, что рискнешь воспользоваться своим положением? Бред! Это она виновата, что меня посещают такие глупые мысли...

— Глеб Витальевич, что с вами? — спросила помощница Люба. — Вам нехорошо?

— Ничего, просто голова что-то побаливает. Надо форточку открыть...

— Сидите, я сама! Может, отменить встречу?

— Нет, ни в коем случае! Это очень важно... Только знаешь, я хочу, чтобы ты присутствовала. А то я могу что-то забыть, не учесть...

— Хорошо, Глеб Витальевич.

Он мысленно поздравил себя с такой хорошей идеей. Люба была не секретарем, а правой рукой шефа. В прошлом году она овдовела и теперь целиком погрузилась в работу, которой была и раньше предана беззаветно. Она знала, что шеф иногда бывает рассеянным и тогда полагается на нее. И она еще ни разу его не подвела.

Секретарша Жанна сообщила, что пришла госпожа Завьялова.

— Она пунктуальна, уже хорошо, — негромко заметила Люба.

Глеб Витальевич поднялся ей навстречу. Она была одета скромно, но очень элегантно и уместно. Черный брючный костюм с клетчатой отделкой. Слегка подкрашена, однако видно было, что она бледна от волнения.

— Наташа, рад вас видеть здесь! — Он поцеловал ей руку. — Садитесь. Это моя помощница Любочка, моя правая рука, прошу любить и жаловать. Чай, кофе?

— Если можно, воды.

— Жанна, будь добра, воды. Ну что ж, Наташа, приступим. Я посмотрел запись, как вы уже знаете, и я очень доволен. Очень! Я давно собирался сделать такую программу у нас на канале, но не мог найти достойного интервьюера, мне хотелось, чтобы это было новое лицо, не раскрученное еще. И вот ваша проба показала мне, что я это лицо уже нашел. Короче, я предлагаю вам вести эту программу. Хотелось бы выпустить ее в начале февраля. Программа должна выходить четыре дня в неделю. Час эфирного времени. Пока не в прайм-тайм, а там посмотрим. Приглашать будем разных людей, но, разумеется, тех, кто интересен и уже известен аудитории. Это должен быть разговор для всех, а не для высоколобых. И еще... хотелось бы, чтобы вы отмели принцип интервьюера — не выказывать своего отношения. На мой взгляд, это неинтересно. И никакой политики, разумеется. Это я так, между прочим. Да, если, предположим, вам не нравится ваш гость, вы можете, собственно, этого не скрывать. Конечно, не демонстрировать, не хамить, но... не скрывать. То есть, быть самой собой. И, если наоборот, гость вам по душе, этого тоже скрывать не нужно. Вы должны быть максимально естественны. Я понятно излагаю?

— Более чем!

— Скажите, вам это интересно? Вы бы хотели вести такую программу?

— О да! — еле слышно проговорила Наташа.

— Справитесь?

— Мне сложно ответить... Я никогда ничего такого... то есть я...

— Понятно, что вам еще не доводилось работать на телевидении, — улыбнулся Кузьмин, — но не боги горшки обжигают. Мне очень, просто очень понравилось интервью с Вероникой. Блестящая работа!

— Но госпожа Сизова, по-моему, осталась недовольна...

— Вот тут вы ошибаетесь! Она позвонила мне и потребовала, чтобы вы непременно сделали интервью с Бакуниной.

— Почему? — растерялась Наташа.

— Потому что Вероника ее ненавидит! И не без взаимности.

— О!

— К тому же вы роскошно смотритесь на экране. Ну так что, согласны?

— Да. Конечно. Спасибо за доверие.

— И вы не спрашиваете, сколько мы будем вам платить?

— Ну, я пока не имею права чего-то хотеть. Я еще никто. Сколько сочтете нужным.

— Хорошо, — улыбнулся он. — Заоблачных гонораров не обещаю, но достойную сумму дадим. С перспективой роста. Любаша, составь проект договора и отправь по электронной почте. Все рабочие вопросы можно согласовывать с Любочкой. Но надо еще снять пилотную программу в студии, допустим, через неделю. В феврале мы выпускаем новый сериал, и я хочу, чтобы вы взяли интервью у героя и героини. Ее играет Маша Чичерова, а его Павел Хромов.

— Я Чичерову не знаю совсем.

— Вот и займитесь, подготовьтесь сами. Если справитесь, а я убежден, что справитесь, программа с гарантией пойдет в эфир. Тогда договор и подпишем. Согласны?

— Да.

— Вот и чудесно. Тогда в следующую пятницу...

— Глеб Витальевич, — обратилась к нему Люба. — В какой декорации снимать-то будем? Ведь, если получится, нам это надо будет потом в эфир пускать?

— Как всегда права! Скажите, Наташа, как вам бы хотелось — с публикой или без?

— А название есть?

— Предположительно, «С глазу на глаз».

— Ну, тогда лучше без публики... Глеб Витальевич, простите, может быть с моей стороны это наглость, но после нашего разговора в Питере я все время невольно думала о программе, а после интервью с госпожой Сизовой я вот что подумала, а что если снимать программу в разных кафе и ресторанах, чтобы владельцы... ну...

— Чтобы владельцы были частично спонсорами?

— Ну да. И картинка будет разной и разговор за чашкой кофе пойдет лучше...

— Молодчина! — хлопнул в ладоши Кузьмин. — Новое — это хорошо забытое старое!

— А здорово, Глеб Витальич! — заметила Люба. — Правда, мороки с владельцами может быть много...

— У меня есть приятель, он известный ресторанный критик, он поможет, и потом можно, допустим, после интервью делать фото знаменитости на память и оставлять в кафе, а они уж смогут им распорядиться.

— Супер! — хлопнула в ладоши Люба.

— Ты видишь, какой ценный кадр я нашел, кстати, в кафе. Все бы приходили к нам со своими бизнес-идеями, да еще такими простыми и доступными! — ликовал Кузьмин. — Люба, свяжись с Чичеровой и Хромовым, пусть готовятся.

— А если кто-то из них не сможет в пятницу?

— Значит, снимем в субботу. Уладь все, как ты умеешь!

— Улажу! — вздохнула Люба. — Я пойду?

— Иди! Ну что, Наташа? По рукам?

— По рукам! — улыбнулась она.

— Ваш брат был прав — улыбка у вас и вправду неотразимая. И на экране тоже! Ну, пора и по домам. Вас подвезти?

— Нет, спасибо, я на машине.

— К дочке спешите?

Наташа глянула на часы. Половина восьмого.

— Да, она уже наверное вернулась.

— Откуда, если не секрет?

— С катка. Обожает коньки.

— Хорошее дело.

Он вместе с нею вышел из кабинета, подал шубку, поцеловал руку.

— До встречи, Наташа!

— Спасибо, Глеб Витальевич, это такой шанс...

Она села за руль и поняла, что вряд ли сможет вести машину. Надо подождать, успокоиться. Позвонила домой. Трубку снял Артур.

— Ты где, блудная мамаша?

— Я только что освободилась. Скоро буду. Аська дома?

— Да! Счастливая и румяная. Мы играем в шашки! А как твои переговоры?

— Приеду, расскажу!

— У тебя ликующий голос.

— У нас есть шампанское?

— Даже так? Сейчас посмотрю. Есть!

— Все. Еду!

Разговор с мужем успокоил ее. Дома все хорошо. Господи, неужели я буду работать на телевидении и у меня будет своя программа? Я ведь никогда даже не мечтала ни о чем подобном. Вот зависти будет... Ох, я же обещала позвонить Лорке.

— Алло, Лор, это я...

— Ну что?

— Предложили вести программу.

— Надеюсь, ты согласилась?

— Конечно.

— Супер! Артур уже знает?

— Нет еще.

— Интересно, как он отреагирует.

— Думаю, обрадуется.

— А я так не думаю. Ты станешь знаменитостью, а ему не понравится быть мужем знаменитости.

— Да ерунда!

— А спорим?

— На что?

— На бутылку бейлиса!

— Идет! — засмеялась Наташа. — Ну все, еду домой!

Глеб Витальевич задержался в офисе. Просто не мог сейчас ехать домой. Хотел позвонить своему другу и партнеру, рассказать о новом проекте, но тут же вспомнил, что Иван уехал в Австрию с любовницей и ему сейчас будет не до меня с моими проектами. Хорошо ему, он легкий человек. И многочисленные интрижки никогда не оборачиваются для него какими-то особыми сложностями. Я так не умею. В отличие от Ивана я совершенно не влюбчив. А тут накрыло... И что теперь делать? Ни-че-го! Просто пережить, как вирусную инфекцию. Рано или поздно пройдет. У меня хороший иммунитет. К тому же ответного импульса я не почувствовал. А она, мало того, что хороша невероятно, она еще и умна и зверски обаятельна. А какие у нее красивые руки. Пальцы длинные, тонкие. Интересно знать, ее муж хоть отдает себе отчет в том, какое сокровище ему досталось? Вот сейчас она приедет домой, расскажет мужу о новой работе, они порадуются, возможно, выпьют на радостях, а потом лягут в постель... И будут заниматься любовью... Но вряд ли с особой страстью, ведь они давно женаты... Он закрыл глаза и представил себе, как может измениться ее лицо в момент близости. И даже застонал. Ударил кулаком по столу, так что подскочил и опрокинулся стакан с карандашами. Идиот! Возьми себя в руки! Тоже мне Отелло! Что-что, а брать себя в руки он умел. Позвонил жене и сказал, что сегодня будет ночевать в городе, ему завтра надо рано быть на студии. Жена с сыном живут за городом. И каждое утро ни свет ни заря мальчишку возят в ЦМШ. Но жена считает, что жизнь на свежем воздухе того стоит. Сам Глеб Витальевич так не считал, парнишка явно недосыпает, но спорить с женой не считал нужным, тем более что сын ценил возможность сидеть за роялем в любое время, не оглядываясь на соседей. Командовать в доме Кузьмин не любил. С него хватало и канала. Тут он, по крайней мере, точно понимал, что и зачем делает. Хотя сейчас ему вдруг показалось, что он идет по болоту. Один неверный шаг и его засосет трясина. Но кроме забытого упоительного ощущения влюбленности, его трясло от предчувствия профессиональной удачи. Он еще никогда не влюблялся в женщин из своей профессиональной среды. Как-то не волновали они его... Ну так ведь и Наташа еще не из этой среды. А может, когда она станет его подчиненной и вольется в эту среду, у меня все пройдет? Скорее всего, так и будет. Потом я еще не вижу в ней никаких недостатков, а со временем кто знает... Он успокоился и поехал домой, благо недалеко.

Когда Наташа добралась до дому, выяснилось, что Аська уже заснула.

— Она так умаялась на катке...

— Она поела?

— Только яблоко съела. Они же еще в кафе ходили. Ну, что там у тебя?

— Ох, Артур, меня пригласили вести программу на канале «Супер»!

— Какую программу?

— «С глазу на глаз». Я буду брать интервью у разных знаменитостей!

— Ты согласилась?

— Артур, о чем ты спрашиваешь? Конечно, согласилась!

— А с мужем посоветоваться не надо?

— О чем тут советоваться? Такой шанс бывает раз в жизни!

— Но ты вроде бы никогда не стремилась стать медийным лицом!

— Да, потому что я реалистка и прекрасно понимала, что пробиться туда очень сложно, но тут такой случай, не отказываться же мне!

— А о ребенке ты забыла?

— Почему? Артур, я не пойму, ты что, недоволен? А я думала, ты за меня порадуешься!

— Извини, не оправдал твоих ожиданий! Неужто так охота светиться на экране?

— Да как ты не понимаешь? Это же безумно интересно! Разные люди... Разные настроения... Собственно это то, ради чего я подалась в журналистику. Просто это будет еще и на телевидении. Кстати, не факт, что программа будет пользоваться успехом. Если рейтинги будут плохие, ее закроют, как нечего делать.

— И ты впадешь в депрессию! Очень умно!

— Нет, в депрессию я точно не впаду, просто буду заниматься тем, чем раньше. Только и всего.

— Наивно! Телевидение это отрава! Наркотик!

— Далеко не для всех. А, между прочим, мне там обещают неплохо платить. Что тоже не помешает. Но придется найти домработницу. Я вряд ли буду справляться с хозяйством.

— Это понятно, но...

— На оплату домработницы моих денег хватит и еще останется.

— И что, ты уже подписала договор?

— Нет, конечно. Надо будет еще снять пилот.

— То есть это еще не окончательно? Все еще может не состояться?

— Может. А тебе бы хотелось, чтобы это не состоялось?

— Если честно, то да.

— Ну знаешь! — смертельно обиделась Наташа. — Я думала ты... А ведь меня предупреждали!

— Кто и о чем тебя предупреждал, хотелось бы знать?

— Неважно! Это тебя уже не касается!

— Что значит — уже не касается?

— Это значит... это значит... — Наташа чувствовала как к горлу подступает комок и глаза наливаются слезами.

Артур понял, что перегнул палку. Подошел, обнял.

— Наташка, не глупи! Ты еще даже договор не подписала, а мы уже ссоримся! Неужели телевидение стоит того, чтобы разрушать семью? Это же глупо! Ты сама знаешь прекрасно, что у телезвезд женского пола, как правило, не складывается семейная жизнь. Или разрушается... Тебе это надо?

— Ничего не разрушается, когда люди с уважением относятся друг к другу. Ты всегда относился к моей работе как к прихоти, необременительной прихоти!

— Неправда! Я всегда читал твои статьи, что-то советовал и вообще, но...

— Тогда попробуй отнестись с уважением и к моей новой работе. Не волнуйся, я тебя не опозорю. Пусти меня, я не хочу...

— Дуреха ты, Наташка, ну охота тебе в это болото, ради бога! Но не забывай, что ты прежде всего мать!

— Но я не мать-одиночка! У моей дочери есть отец и бабушка, как-нибудь... Кроме того, съемки будут не каждый день, и на дочь у меня всегда найдется время!

— Ну и прекрасно. Делай что хочешь! — раздраженно отмахнулся Артур.

Часть 2

Идея снимать программу в кафе провалилась. Это оказалось нерентабельно и слишком утомительно для группы.

К концу съемочного дня Наташа чувствовала себя как выжатый лимон. Сил не было ни на что. Четыре интервью в день и все с полным напряжением, нельзя расслабиться ни на секунду. Хорошо еще, что последней была знаменитая питерская балерина, красивая и умная женщина, с хорошим чувством юмора. Говорить с ней было легко и приятно. К тому же Наташа не раз видела ее на сцене, искренне восхищалась ее талантом.

— Спасибо, Ариадна! — сказала ей Наташа, когда выключились камеры и балерина собралась уходить.

— Это вам спасибо, мне кажется, это было лучшее интервью в моей жизни. Обычно задают какие-то стереотипные вопросы, а у вас так много неожиданного. Получается живой разговор, и вам я смогла сказать то, чего никогда не сказала бы другому интервьюеру. Я ведь отказывалась сначала, а потом мне показали вашу беседу с Сизовой и я восхитилась. Скажите, а когда будет эфир?

— О, этого я еще не знаю. Но вам непременно сообщат!

Они простились как добрые знакомые.

— Что, Натулька, выдохлась? — спросил режиссер.

— Просто мертвая...

Наташа медленно направилась в гримерную, снять грим. Ей казалось, что он какой-то тяжелый...

— Садись, красавица, — сказал гример Левочка. — Знаешь, лапуля, я всегда смотрю твои съемки. Мне интересно. Ты умеешь из людей такое вытащить...

— Спасибо, Левочка, скажи, почему мне к концу дня кажется, что грим давит?

— А ты как думала? К вечеру какой слой у тебя на коже?

— А может, надо после каждой съемки снимать? А потом заново накладывать?

— Да нет, грим хороший, дорогущий, Кузьмин для тебя на самый лучший расщедрился...

— Кузьмин? Он вникает в такие вещи? — искренне поразилась Наташа.

— А то!

Наташа не видела Кузьмина уже месяца три. Раза два он звонил ей, говорил приятные вещи — что он очень доволен, что у программы рейтинги растут, что многие медийные лица сами звонят ему и просят, а кое-кто даже требует, чтобы их пригласили на программу.

— Лапуля, ты за рулем?

— Нет. Я после четвертой съемки не могу вести машину. Меня отвозят.

— Ну, вот и готово. Ты только на ночь крем не клади. Пусть кожа отдохнет, а утром масочку, и будешь как новая.

— Спасибо, Левочка.

— Наташа, вы еще здесь? — влетела в гримерку Люба, помощница Кузьмина. — Наташа, у нас в следующие выходные выезд на природу.

— Куда? Зачем?

— Ну так канализация же!

— Что? — не поняла Наташа.

— Да это хохма такая, Петровых придумал. Канал приглашает своих региональных партнеров на совещание, так называемый съезд станций, два с половиной дня работаем, потом тусовка. Все обставляется очень роскошно, собираются все спонсоры...

— А можно мне не приезжать?

— Ни под каким видом! Вы сейчас одна из главных наших фишек. Короче, Глеб Витальевич наказал, чтобы вы были всенепременно. Будет презентация новых проектов, вручение профессиональных призов...

— А я там зачем?

— А вы и другие лица канала как крем на тортике. Выезжаем в четверг вечером. Нужно вечернее платье.

— Господи помилуй! А у меня же в пятницу съемочный день. Я, если так уж необходимо, приеду в субботу утром.

— Хорошо. Я записываю.

— Наташа, машина ждет! — крикнул кто-то.

— Уже иду.

Завтра полдня буду спать. Она знала, что после съемочного дня заснуть ей удастся только уже под утро. Она будет прокручивать в голове весь день, все четыре встречи, терзаться сомнениями — не зря ли я задала тому-то тот-то вопрос, не надо ли вырезать неловкую оговорку гостя. Она всегда присутствовала на монтаже программ. И нередко вступала в жестокий спор с режиссером. Поначалу он сердился, ворчал, но она сумела убедить его в необходимости ее присутствия.

— Ты пойми, в этой его неловкости виновата я, так почему он должен расплачиваться за мою невольную бестактность?

— Что ты все берешь на себя? И потом, смотреть программу с такими вот живыми вкраплениями будет интереснее!

Иногда она соглашалась с режиссером, иногда он с ней, и в результате они нашли общий язык.

— Но вообще-то, Наталья, ты для телевидения слишком порядочная. Ничего, пройдет!

— Ты хочешь сказать, что я стану непорядочной?

— Ну, не то чтобы непорядочной... Но обнаглеешь, обозлишься, цинизму наберешься.

— Хорошо, что предупредил, Вовик! Буду следить за собой!

Дома у Наташи все как будто устаканилось. Артур даже как-то сказал:

— А знаешь, о твоей программе много говорят...

— Кто говорит?

— Да многие. Практически куда ни придешь, везде девушки обсуждают ее и тебя заодно. Как ты была одета, как причесана, какие на тебе были цацки...

— Тебе это неприятно?

— Да нет, скорее наоборот. Я тобой горжусь.

— Ну вот, а я из-за тебя проиграла бутылку бейлиса.

— Разумеется, Лорке? Это она любительница бейлиса. И она меня не любит.

Но больше всех гордился Наташей ее брат. Поскольку в час выхода программы он всегда был на работе, то все программы записывал и с пристрастием смотрел в свободное время. А потом обязательно звонил сестре:

— Наташка, ты такая молодчина, я так тобой горжусь!

В квартире было тихо. Аська уже спала. Наташа заглянула в спальню. Мужа не было. Но не мог же он уйти, оставив Аську одну в квартире? Она обнаружила его в гостиной. Он спал на диване, положив на живот какой-то журнал. Вот и хорошо. Все спят. Она не стала будить мужа, знала, что он скоро сам проснется. Видно, тоже вымотался за неделю. Она на цыпочках и со спокойным сердцем отправилась на кухню. После тяжелого съемочного дня ужасно хотелось есть. Она налила себе тарелку грибного супа и сунула в микроволновку, почему-то после съемочного дня она ела именно суп, который в обычные дни не ела почти никогда. Вот такие причуды измученного организма.

В дверях появился заспанный муж.

— Щи хлебаешь?

— Не совсем щи. Но хлебаю. Очень вкусно.

— Ты вообще хорошо готовишь и слава богу еще успеваешь это делать.

— Артур, не ворчи.

— Устала?

— Как всегда.

— Кто у тебя сегодня был?

— Никита Порываев, Игумнова, Мещеряков и Ариадна Потоцкая.

— А Мещеряков это кто?

— Киноактер. Николай Мещеряков.

— Не знаю такого.

— Ничего не потерял. Красивый болван.

— Зачем звала?

— Это не я. Он снялся в новом сериале нашего канала.

— Ты выставила его на посмешище?

— Да нет, не та фигура.

— Наташ, тебе еще не надоело?

— С ума сошел! Мне так интересно! Да, кстати, в следующую субботу и воскресенье меня не будет.

— А что такое?

— Меня сливают в канализацию, — хмыкнула Наташа.

— Что это значит? — недовольно осведомился Артур.

Наташа объяснила.

— Так, теперь уже и выходные заняты. Надо брать домработницу. Мне, кстати, Дебора Дмитриевна предлагала...

Дебора Дмитриевна была старшей коллегой Артура, которую он безмерно уважал.

— Да? Пожалуй, действительно, надо взять кого-то. А то у меня столько работы помимо съемок, да еще меня приглашают на интервью...

— Не понял!

— Ну, у меня тоже хотят взять интервью для Первого канала и для журнала «Космополитен». Да и готовиться к съемкам надо...

— Да, кто бы мог подумать... А меня, между прочим, тоже пригласили на телевидение!

— Куда это?

— В программу «Судьи и судьбы».

— Ты согласился?

— А почему бы и нет? Я в конце концов не последний в этом городе адвокат.

— Ну что ж... Может, ты скоро тоже пропишешься на телевидении и будет у нас телесемья!

— Ты недовольна?

— С чего ты взял? Сходи, попробуй.

...Съемка была в самом разгаре, когда у монитора вдруг возник Кузьмин.

— Что тут у вас?

— Да черт знает что, — проворчал кто-то.

— Что такое?

— Да Наташка, бедолага, бьется с Мелеховым, никак его не расшевелит. Он застыл в своем величии. Тупица! — вынесла вердикт редактор Лена.

Кузьмин опустился на подставленный ему стул. На экране Наташа и вправду маялась. Писатель Мелехов был непробиваем. Отвечал на вопросы вяло, односложно и, пожалуй, даже слегка презрительно. Бедная девочка... Ну, если у нее ничего не выйдет, мы просто не дадим это в эфир. И вдруг...

— Скажите, Генрих Вячеславович, а вы хороший человек? — вдруг разозлилась Наташа.

Писатель, не ожидавший такого вопроса, вдруг словно проснулся.

— А почему вы об этом спрашиваете? Вы что-то прочли обо мне в Интернете? Мало ли какие гадости там о людях пишут! Или вы знакомы с моей бывшей?

— Да что вы, я ничего такого не имела в виду! Я просто спросила. А вы не ответили и почему-то забеспокоились...

— Да! Я хороший человек! Чтобы обо мне ни говорили. Я всегда соблюдаю основной закон...

— Конституцию? — неподражаемо подняла бровь Наташа.

— Нет, для меня основной закон это десять библейских заповедей!

— И вы их никогда не нарушаете?

— Представьте себе!

— Все-все?

— Да!

— О, это поистине достойно восхищения! Но тут есть некие противоречия. Вот, например, не сотвори себе кумира, а в вашем интервью журналу «Огонек» вы признаетесь, что ваш кумир это Достоевский... — с лукавой улыбкой заметила Наташа.

— Это совершенно иное дело!

— Но все-таки кумир?

— Я не принимаю этого упрека!

— Хорошо! А как быть с заповедью «Не прелюбодействуй»?

— Вы обвиняете меня в прелюбодеянии? — взвился писатель.

— Боже сохрани! Но вы сами говорили моему коллеге на канале НТВ, что вы... Цитирую: «Я могу сказать о себе, что я бабник, ну просто не в силах устоять перед красивой бабенкой. И вообще, друзья называют меня «альфа-самцом». Или вы альфа-самец-теоретик?

— Что вы себе позволяете, девушка?

— Ничего. Просто констатирую очередное противоречие. Вот уже две заповеди вы точно нарушаете, а там еще и третья сама собой напрашивается...

— Это какая же?

— «Не возжелай жены ближнего своего». А, Генрих Вячеславович?

Слава богу, у писателя хватило ума расхохотаться. Он лукаво погрозил Наташе пальчиком.

— Да, не зря мне говорили, что с вами надо держать ухо востро!

Дальше беседа потекла уже нормально.

— Ах, какая девка! — хлопнул в ладоши режиссер. — Вырулила! Но при этом всем показала, какой дурак этот Мелехов. Да, Глеб Витальевич, это поистине бесценный кадр.

— Скоро на нас такой наезд в сети будет, — вздохнула редактор Алла Георгиевна.

— Ничего, зато рейтинги подскочат до небес! Наверняка Мелехов завтра будет в сети жаловаться на наш канал, на Наташу, а нам только того и нужно! — смеялся Кузьмин. — Скажите, Володя, я вот что подумал, а может, нам снимать все-таки по три программы в день, но два дня в неделю?

— Хозяин — барин! Но вообще-то Наташка в конце четвертой программы уже неживая. Мы-то отработали смену и домой, а она... Хотя, судя по сегодняшней съемке, еще о-го-го!

— Ладно, подумаем.

Съемка закончилась. Из студии вышел Мелехов. И сразу испарился, даже не сняв грим. Вскоре вышел оператор, а потом появилась Наташа. Она была страшно возбуждена.

— Вова, скажи, получилось хоть что-то?

— Ну, ты, мать, дала! Я сперва думал в брак все пойдет, а ты так его раскрутила!

И тут Наташа увидела Кузьмина.

— Глеб Витальевич? Какими судьбами?

— Да вот был тут, зашел посмотреть... Лихо вы его! Как вам в голову пришло спросить, хороший ли он человек?

— Не знаю. Просто я уже начинала его ненавидеть... — засмеялась она.

— Молодчина! Просто восторг!

— Ну, первую часть, наверное, надо будет слегка сократить, а то зрители со скуки помрут.

— Чепуха! Дадим рекламную нарезку из самых острых моментов, сама что ли не знаешь, — заметил Володя.

— Ох, я так устала, что уже плохо соображаю. Простите, Глеб Витальевич, мне надо поскорее снять грим, к концу съемок он на меня давит...

— Да-да, конечно. Надеюсь, вы завтра будете на нашем мероприятии?

— Это обязательно?

— Да, Наташа, уж не взыщите, но...

— Хорошо, я буду. К которому часу?

— Ну, вам можно приехать к часу. А мне с самого утра, — вздохнул он. — Основная масса народу уже там. Я пришлю за вами машину к двенадцати.

— Да я могла бы и сама.

— Нет-нет, машина будет.

— Спасибо.

— Наташа, я хотел еще... А впрочем, поговорим на природе, вы слишком устали.

— Да, спасибо.

— Спокойно ночи, Наташа.

— А тебе обязательно мчаться на эту тусовку? — с недовольным видом спросил Артур.

— Увы! Думаешь, мне хочется?

— Откуда я знаю?

— Ты прекрасно знаешь, что я в принципе не люблю тусовок.

— Ну, мало ли что было раньше, до эпохи телевидения.

В голосе мужа Наташе послышалось явное недовольство. Но она так устала, что предпочла не обращать на это внимания. Поворчит, перестанет.

Когда объявили так называемый кофе-брейк, Кузьмин спустился в холл и спросил у девушки-администратора:

— Простите, а госпожа Завьялова приехала?

— Еще нет.

Он посмотрел на часы. Десять минут второго. Пора бы ей уже быть. Но в конце концов мало ли что могло ее задержать... Пробки бывают и по субботам, особенно на выезде из города, весна все-таки. Народ рвется на свои фазенды.

И тут он увидел ее. Она была в светлых брюках и коротенькой пестрой жакетке. Кузьмин почувствовал, что душа уходит в пятки. Или это называется «сердце оборвалось»? Он испугался, откровенно испугался силы своего чувства.

— Глеб Витальевич! — улыбнулась она. — По вашему приказанию прибыла.

— Я рад... Вы чудесно выглядите! Успели заметить, какой тут дивный воздух?

— Честно говоря, нет, не успела. Шофер подвез к самому входу.

— А кофе хотите? У нас как раз кофе-брейк...

— Хочу! Спасибо!

— Тогда момент!

Он что-то сказал девушке-администратору, взял Наташину дорожную сумку.

— Идемте!

Наташа последовала за ним. Он привел ее на небольшой уютный балкончик, где стояли всего два столика.

— Садитесь, Наташа, кофе сейчас принесут, а пока дышите полной грудью.

— А тут и в самом деле хорошо дышится. Спасибо.

— Наташа, я давно ждал случая высказать вам... Вы здорово работаете! Вчера я наблюдал непосредственно... Это было виртуозно. Но, как я и предполагал, Мелехов уже выложил в Интернет довольно злобную заметку...

— Да черт с ним, — поморщилась Наташа.

— Безусловно! — рассмеялся он. — Нам это только на пользу. И еще... На вас удивительно интересно смотреть во время беседы, вы так живо на все реагируете... И я слышал массу восторженных отзывов.

— Глеб Витальевич, вы меня захвалите.

— Наташа, я хочу предупредить...

— О чем?

— К вам скоро начнут подъезжать с других каналов, переманивать, перекупать...

— Глеб Витальевич!

— Пока таких заходов не было?

— Нет.

— Будут. Но я прошу вас об одном. Ставьте меня в известность о том, что именно вам предлагают.

— Глеб Витальевич, это как-то само собой разумеется. И потом, у меня контракт, но дело даже не в этом, я вообще не люблю метаться в поисках лучшей доли... Я просто очень верный человек по натуре, — чуть смущенно улыбнулась она. — Если мне хорошо, а мне сейчас на канале хорошо, зачем я буду...

— Наташа, вы... вы какой-то бронтозавр, что ли... Во всяком случае в нашей среде.

— Комплимент сомнительный, надо заметить, — рассмеялась Наташа.

А у него от этого смеха все внутри перевернулось.

Появился молоденький официант, принес кофе, корзинку с пирожными и вазу с фруктами.

— Наташа, рекомендую, пирожные тут отличные.

Сейчас она скажет, что в рот не берет пирожных... Но она с любопытством разглядывала их, потом положила себе на тарелку эклер и корзиночку.

— Обожаю сладкое! — чуть смущенно проговорила она.

И он сразу вспомнил, как в питерском кафе она с наслаждением уплетала торт, перед тем как он подошел к ней.

— Правда, вкусно! И кофе отличный! Глеб Витальевич, а здесь есть бильярд?

— Бильярд? Есть. А вы что, играете?

— Да. Обожаю, но с тех пор как работаю у вас, ни разу не играла, времени совсем нет.

— А я никогда даже не пробовал... Как-то не тянуло.

— О, так вам надо научиться... Это кайф!

Он смотрел на нее с таким восторгом, что самому стало неловко. А она, казалось, ничего не замечает. Значит, я триста лет ей не нужен. А она... такая настоящая вся... Я, кажется, ее люблю, как ни дико это звучит...

В этот момент на балконе появился огромный серый кот. Сел и уставился на людей совершенно круглыми оранжевыми глазами.

— Боже, какая красота! — всплеснула руками Наташа. — Кис-кис, иди ко мне.

Кот не трогался с места.

— А ведь он какой-то здорово породистый!

— О да! Это вислоухий британец. Местная достопримечательность по кличке Кузя, практически мой тезка! — засмеялся Кузьмин.

— Или однофамилец!

Кот дернул коротким толстым хвостом и с важным видом удалился.

— Вы еще и в кошачьих породах разбираетесь?

— Да, Наташа. Я обожаю кошек. У меня за городом две кошки и кот, правда, беспородные. Но мне это не мешает.

Как он на меня смотрит... У него такие теплые глаза и вообще, от него исходит какое-то тепло, вдруг опомнилась Наташа. Он что, влюблен в меня? Только этого не хватало. Черт побери, а ведь у Артура в последнее время взгляд какой-то совсем холодный. Я только сейчас это поняла.

— Глеб Витальевич, перерыв закончился, — заглянула к ним какая-то девушка.

— Да-да, иду! Простите, Наташа, мне и впрямь пора... А вы до вечера свободны. Ну, если вдруг понадобитесь, вас найдут. Извините, что не проводил до номера. Лифт вон там...

— Спасибо, большое спасибо.

Наташа осталась в полном смятении. Она взяла сумку и поднялась в номер. Это была большая уютная комната, как в лучших отелях Европы.

И балкон, где стояли два кресла и крохотный столик. Она повесила вещи в шкаф. Надо бы переодеться, но неохота. Наташа вышла на балкон. Тут и вправду прекрасный воздух. Скоро лето, в июне я еще работаю, надо Аську отправить к маме. Наташина мама после смерти отца через полтора года вышла замуж и уехала жить в Юрмалу, где у ее мужа был чудесный домик. А в июле мы с Артуром повезем ее уже на теплое море. Мы с Артуром. А есть ли еще «мы с Артуром»? Бог его знает... Вспомнив теплый взгляд Кузьмина, она слегка поежилась. А почему, собственно? Он очень интересный мужчина, привлекательный, в такого ничего не стоит влюбиться. Но даже если я расслаблюсь и позволю себе влюбиться... Нет, невозможно! Пошлый служебный роман... Да кто говорит про роман? Переспать с благоволящим тебе начальником у нас считается нормой, тем более, если начальник так привлекателен... Но он женат, у него двое детей... А я ни за что не хочу быть любовницей и причинять горе незнакомой женщине. Мне бы понравилось, если бы я узнала, что у Артура есть любовница? А ведь она наверняка есть. Это она подарила ему уродливого зайца с надписью на пузе «Моему зайчику», которого я обнаружила у него в бардачке. Он тогда, нимало не смутившись, сказал, что купил зайца для Аськи и в самом деле отдал его ей. Я тогда поверила. Или захотела поверить. Значит, она все-таки есть и называет его зайчиком. Какая гадость! Но кто она такая? Или имя им легион? А чему я удивляюсь, мы женаты уже двенадцать лет... Но мне всегда казалось, что он меня любит... Ох, что я делаю? К черту эти гадкие мысли. Неведение — благо. Многая знания, многая печали. Как бы там ни было, мы семья, у нас есть дочь, которую, кстати, Артур просто обожает, и мало ли что бывает в семейной жизни. А зайца надо выбросить. И дело с концом.

Наташа переоделась и пошла искать бильярдную. Даже если там никого нет, просто погоняю шары, давно кий в руки не брала. Так оно и вышло. В бильярдной никого не было. Но через десять минут туда заглянул молодой человек.

— О, я пришел на стук шаров! Вы играете?

— Играю.

— Сразимся?

— С удовольствием!

Паренек играл хуже нее.

— А вы ас!

— Да ладно!

— Вы Наталья Завьялова?

— Она самая.

— Здорово работаете!

— Спасибо. А вы кто?

— Я замтехдиректора. Василий Кармазин. Вы у нас такого шороху навели...

— Вы о чем?

— Да нет, так... — смутился вдруг Василий. — Бабы судачат... Многие завидуют.

— Это дело обычное. Ладно, я пойду!

Наташе вдруг стало неприятно и скучно.

— А реванш?

— Как-нибудь в другой раз. Счастливо!

Господи, что я тут делаю? Вместо того чтобы побыть с Аськой...

Она поднялась в номер и позвонила домой. Артура не было, а Аську взяла к себе свекровь. На душе было тоскливо, и она решила просмотреть материалы, подготовленные редакторской группой к предстоящим интервью. Эту часть работы она любила не меньше, чем сами интервью. И вдруг в материале об известном путешественнике она обнаружила странные несоответствия тому, что сама знала об этом человеке в силу того, что Артур много рассказывал о деле, которое вела Дебора Дмитриевна Новак. Дело было достаточно резонансным. Но то, о чем говорилось в подготовленных для интервью материалах, казалось полным абсурдом. Надо это проверить. А позвоню-ка я сама Деборе Дмитриевне. Замечательная тетка, очень хорошо ко мне относится. Она набрала номер. Дебора Дмитриевна откликнулась мгновенно.

— Наташа? Привет! Что-то случилось?

— Дебора Дмитриевна, простите, что звоню в выходной день, но у меня к вам вопрос...

— Слушаю тебя, Наташенька!

— Дело в том, что я просматривала материал, который мне подготовили для интервью с Валентином Сбитневым.

— Он будет у тебя в программе? Когда?

— Съемки должны быть в пятницу, а когда это пойдет в эфир, я пока не знаю.

— Я стараюсь не пропускать твою программу. Мне не всегда удается посмотреть, но муж мне докладывает. Он теперь твой поклонник. Да, так что там такое?

— Тут сказано, что будто бы Сбитнев не однажды привлекался к уголовной ответственности за нанесение тяжких телесных повреждений своим помощникам во время путешествий.

— Что за бред?

— Тут сказано, что у него ужасающий характер и явная склонность к насилию.

— Наташа, это полная чепуха! Он привлекался к уголовной ответственности всего однажды за якобы растрату средств, отпущенных ему на путешествие спонсором. Но мне удалось разбить в пух и прах это обвинение. Просто он человек не слишком хорошо разбирающийся в бухгалтерии и его элементарно подставили люди, работавшие на этого спонсора. Но обвинение лопнуло, как мыльный пузырь. А Сбитнев вообще мухи не обидит. Интересно, кто и где нарыл такую чушь? Наташа, есть у меня подозрение, что кто-то хочет подставить уже тебя. Валентин человек не агрессивный, но вспыльчивый и обидчивый, услыхав подобную чепуху, он запросто мог бы вскочить и убежать из студии. Только и всего.

— Ничего себе... — растерянно пробормотала Наташа.

— Но ты знаешь, кто именно тебе готовил этот материал?

— Там три человека...

— Тогда послушай меня. Раньше что-то подобное бывало?

— Нет. Пока никаких подстав не было. Но это такая грубая работа... Ничего, я разберусь.

— Только попытайся сделать это как бы с юмором, не кричи, не ругайся, а скажи как-то вскользь... А лучше сделай так — промолчи, и посмотри, какая будет реакция после съемок. Кто-то наверняка будет сильно разочарован.

— Нет, так я не смогу. И потом, я должна знать, кто это. Я не смогу работать с людьми, которым не доверяю. Всякий может ошибиться, тем более что часть информации мы берем в Интернете, но это уже не ошибка, а сознательная попытка подставить меня. У меня физически нет возможности досконально проверять каждую запятую...

— Но только не шуми.

— Да нет, конечно, шуметь я не стану.

— Да ты вообще молодчина, Наташка! Я даже не ожидала... Я тобой горжусь!

— Скажите это Артуру!

— Да говорила неоднократно. А он тебе не передавал?

— Нет.

— Вот засранец! Он ревнует!

— Это глупо.

— А ты что, мужиков не знаешь?

— Да, честно говоря... Я рано вышла замуж и...

— И у тебя никого больше не было?

— Не было.

— Наташка! Не разочаровывай меня. Верная жена в наше время это нонсенс. Тем более, такая интересная и умная... Советую тебе завести роман. Очень освежает супружескую жизнь. Можно сказать, вентилирует ее.

— Дебора Дмитриевна, а Артуру вы тоже это внушаете?

— Боже сохрани! Мужикам и внушать ничего не надо, сами сообразят.

— Вы что-то о нем знаете? — насторожилась Наташа.

— Нет. Он со мной на подобные темы не беседует. Да, кстати, ты сможешь прийти на мой юбилей? Пятьдесят пять, пенсионный возраст, не жук начихал!

— Быть не может! А когда?

— В следующую субботу.

— Непременно буду! Вернее, будем!

— Ну, счастливо тебе, детка!

За ужином в довольно большой компании, Кузьмин, сидевший слева от Наташи, тихо спросил:

— Наташа, вы чем-то расстроены?

— Да нет, так, рабочие моменты.

Она твердо решила ничего не говорить никому, пока сама не разберется. Никого из редакторской группы тут не было. Ничего, во вторник разберусь.

Ведущая новостной программы Татьяна Алешина подошла к Наташе.

— Наталья, можно вас на минутку?

— Да, конечно!

— Наташа, скажите, это правда, что ваш муж занимается бракоразводными делами?

— Да, правда. Вам нужна помощь адвоката?

— Не мне, я, слава создателю, не замужем. Моему брату.

— Ради бога. Артур очень хороший адвокат.

— Я слышала о нем. А как с ним связаться?

— Легко!

Она набрала номер мужа. Тот сразу ответил:

— Да, Натуль! Что-то случилось?

— Нет. Но тут есть для тебя клиент. Сейчас передам трубку.

— Алло! Артур? Здравствуйте! Мы с вашей женой работаем на одном канале, и я решилась к ней обратиться. Моему брату нужна ваша помощь и чем скорей, тем лучше. Вот спасибо, записываю... Да, непременно. Огромное вам спасибо!

Она вернула Наташе телефон.

— Он сказал, что с удовольствием возьмется. Спасибо, Наташа! Если понадобится от меня что-то...

— Таня, мне нужен ваш совет! — вдруг отважилась Наташа.

— Без проблем. Пошли в сад, а?

— Пошли!

— Девушки, вы куда? — окликнул их кто-то.

— Воздухом подышать, а то тут уже можно топор вешать! — засмеялась Таня.

Они вышли в сад. Там было свежо и прохладно.

— Что-то случилось, Наташа?

— Да. И я не очень понимаю, как быть...

И Наташа рассказала ей о сегодняшнем открытии.

— Да скажите все Кузьмину, он же от вас в полном восторге. Разберется.

— Нет, не хочу никаких жалоб и доносов. Я должна сама... Просто, Таня, скажите, у вас что-то подобное бывало?

— Естественно! Ничего не попишешь, эфир такая штука... Вы хоть приглашенная звезда...

— Таня, я вас умоляю, какая там звезда!

— Не скромничайте! Звезда! Телеведущая, у которой своя программа, причем не десятиминутка, а часовая, это круто и, безусловно, предмет жгучей зависти. Продолжу свою мысль — вы приглашенная... скажем так, фигура, если звезда вас смущает, а я-то из редакторов выбилась, ох и зависти было... Многие из тех, что со мной начинали, меня люто возненавидели. Куда денешься!

— И как вы с этим справились?

— Работала как зверь. Сестру двоюродную подключила к проверке материалов, настояла, чтобы двух девок уволили к чертям, и все как-то успокоилось. Вы разберитесь сперва сами, а потом скажите Любе, она все устроит без лишнего шума.

— А если, разобравшись, я предупрежу, что впредь...

— Нет, нельзя. Тогда поганка притихнет, усыпит вашу бдительность, а потом в самый неподходящий момент... Тут надо действовать беспощадно.

Татьяна видела, что Наташа как-то жмется.

— Не умеете так?

— Не умею, — честно призналась Наташа.

Таня внимательно на нее посмотрела, потом широко улыбнулась.

— Наташа, а давай на ты! Все же коллеги...

— Давай! — обрадовалась Наташа. Таня ей всегда нравилась.

— Тогда вот что... Я сама попробую выяснить, что к чему. А ты проверь все материалы к ближайшей съемке.

— Уж конечно. Спасибо, Таня! А что там у твоего брата? — решила она перевести разговор.

— Да жена у него, не приведи господь. Он ей при разводе квартиру оставляет, так она еще и на дом за городом претендует.

— А дети есть?

— В том-то и дело, что детей нет. И она его еще такой грязью в Интернете поливает... Только на твоего мужа и надежда.

— Он справится, не сомневайся.

— Да, я много о нем слышала. А у вас дети есть?

— Дочка. Девять лет.

— Да? А у меня сын, десять лет. Давай их познакомим, а?

— С удовольствием! — обрадовалась Наташа.

— Дамы, вы что это тут прячетесь? — пришел за ними один из продюсеров. — Пошли, пошли, нечего тут сепаратные переговоры вести... — Он был изрядно пьян.

— Юрик, отвяжись, дай воздухом подышать!

Но тут подошли еще люди, и разговор пришлось прервать, но у Наташи осталось удивительно приятное впечатление от общения с Таней.

Утром, еще до завтрака, Наташа просмотрела остальные материалы, там как будто бы было все в порядке. А чему я удивляюсь? Должна была понимать, что мой столь быстрый и внезапный успех на телевидении не может не вызвать жгучей зависти. Просто раньше не приходилось сталкиваться с обыкновенной подставой. Ничего, все когда-то бывает в первый раз. И вот, нет худа без добра... Не хотела я сюда ехать, ох как не хотела, а может дома я бы не так внимательно вчитывалась в текст, а еще я тут практически подружилась с Таней. И вправду надо будет Аську с ее сынишкой познакомить. Она умеет дружить с мальчишками. А еще... Как на меня смотрел Кузьмин... Он такой интересный мужчина, а о нем никаких сплетен не ходит. Говорят, он верный муж и трудоголик. И я тоже верная жена... Верная жена неверного мужа? Зайчик! Тьфу!

Больше остаться наедине с Кузьминым ей не привелось. Он был нарасхват у региональных партнеров, а вечером состоялся пышный банкет, на котором он конечно же присутствовал, но довольно рано уехал. Кто-то куда-то его срочно вызвал. Ну и слава богу, подумала Наташа.

К ней подошла Таня.

— Наташ, я ничего не пила, у меня тут машина, может, слиняем уже сегодня?

— Да с удовольствием! — обрадовалась Наташа.

— Тогда беги собирай вещи, а я предупрежу Любу и жду тебя в холле.

— Отлично!

— Наташ, ты где живешь?

— На Профсоюзной. Ты меня высади у какого-нибудь метро.

— Еще чего! Довезу до дома, тем более что живу на улице Строителей. Мы практически соседи.

— Здорово. Спасибо тебе.

— А у тебя есть дача?

— У меня нет. У свекрови, но я в принципе ненавижу дачи.

— Серьезно? Я тоже. А как ты летом с дочкой устраиваешься? Свекрови отдаешь?

— Да нет, я сначала отправляю ее к маме в Юрмалу на месячишко, а потом сама куда-нибудь ее вожу. А впрочем, по-разному.

— У нас в этом году каникулы в июле будут, целый месяц, я еще ничего не решила. Может, скооперируемся, если твой муж не поедет, а?

— У него тоже пока все неясно. Но я бы с удовольствием. А может в Юрмалу? Там здорово!

— С ума сошла?

— Почему?

— Да в Юрмале весь наш шоу-бизнес пасется. Невозможно, мы ж с тобой тоже медийные лица...

— Ох, я об этом не подумала. Ну я-то еще не очень, а ты — да...

— Понимаешь, обычно мы с подругой снимали какой-нибудь хороший домик за границей у моря, не в отеле, не в людном месте, но она в этом году не сможет — лежит на сохранении, вот я и подумала... Это не так уж дорого, зато тихо и спокойно. В прошлом году мы были на Майорке, там так клево... Ты была на Майорке?

— Да. В свадебном путешествии. Мне понравилось... Ох, Танечка, я хочу, я очень хочу!

— А муж тебя отпустит?

— Отпустит. Он семейный отдых не слишком любит. Мы обычно с ним в сентябре куда-нибудь на недельку летаем, а Аську свекровь пасет.

— Может, махнем опять на Майорку, я там по крайней мере все знаю, и надо попытаться снять в том же месте... Так я займусь, а?

— Займись, Танечка! Как здорово, что мы с тобой разговорились!

— Это правда! Слушай, а если с Майоркой не выйдет, куда бы ты хотела?

— А какие еще варианты?

— Ну, мы были три раза... Юг Франции, Майорка и Черногория.

— Ох нет, в Черногорию что-то не тянет, а если в Испанию или Грецию...

— Тогда лучше в Испанию, я говорю по-испански.

— Здорово, я тоже знаю испанский. Тогда однозначно в Испанию! Майорка, кстати, тоже Испания.

— Да. И Канары, но это очень далеко. Не люблю так долго летать. Представь себе, Наташ, возьмем напрокат машину, повозим наших отпрысков, а кстати, на Майорке мы иногда брали на вечер или даже на денек-другой няньку...

— А это не страшно?

— Абсолютно! Мы же знаем испанский и обратимся в надежное агентство...

— Ох, Таня, я уже мечтаю!

— Вот и чудесно! И нам всегда будет о чем поговорить, коллега!

— И кому кости перемыть?

— А как же! Тогда завтра я начинаю искать для нас пристанище в Испании.

— У моря!

— Естественно!

— Ты что это так сияешь? — встретил ее муж.

— Да вот, разговорились там с Таней Алешиной.

— По поводу меня?

— Ты был только отправной точкой, — засмеялась Наташа. — А потом нашлось еще много общих тем и в результате мы решили поехать в июле с детьми в Испанию. У нас ведь отпуск совпадает. Она уже снимала домик в разных странах и, по-моему, это будет здорово. У нее сынишка на год старше Аськи, и она тоже знает испанский...

— А что, мысль хорошая. Одобряю! А мы с тобой в сентябре махнем, например, в Марокко! Говорят, там сказка...

— Отличная мысль!

— Ну, а помимо Алешиной, какие впечатления?

— Да тоска... А, между прочим, ты почему ни разу не передал мне, что твоя Дебора мной гордится, а?

— А ты что, с ней говорила? — почему-то встревожился Артур.

— Да, у меня был к ней один вопрос (Наташе не хотелось говорить мужу про подставу), и она пригласила нас на свой юбилей.

— Да-да, я как раз собирался тебе сказать... А какой у тебя вопрос к ней был?

— Да не вопрос, я просто позвонила поблагодарить ее за домработницу. Я ею вполне довольна, а там у меня было свободное время, и я вспомнила...

— А!

— Я, между прочим, обыграла там на бильярде одного мужика, он рвался взять реванш, но не вышло.

— Короче, ты довольна?

— В целом да.

— Вот и славно. Натуль, ты ложись, а мне надо еще поработать.

...В понедельник, отправив Аську в школу, Наташа поехала на примерку — ее одевала известная итальянская фирма, что естественно отмечалось в титрах: «Одежда ведущей предоставлена фирмой такой-то». И каждый понедельник она ездила на примерку. Ей не все нравилось из того, что предлагалось, но так как явной безвкусицы не было, то она считала за благо молчать. Сейчас в моде длинные платья и тут модельеры давали себе волю. Но Артур был недоволен:

— Что это в самом деле ты все время в длинных платьях? Люди могут подумать, что у тебя ноги кривые!

— Господи, Артур, да пусть думают что хотят. Сейчас такие платья самый писк! И к тому же в них удобно сидеть. Вот у меня не так давно была одна певица, в короткой узкой юбке, так она вся, бедная, извертелась, чтобы сидеть удобно и в то же время красиво.

После примерки Наташа ездила в фитнес-клуб — надо поддерживать форму! Из клуба на студию — монтировать снятое в пятницу. Домой добиралась только поздним вечером. Если Артура дома не было, домработница Нина Филипповна дожидалась ее. Вот и сегодня она встретила Наташу словами:

— Наталья Алексеевна, все в порядке, Асенька уроки сделала, на английский и в бассейн сходили, обед и ужин я сготовила. Могу идти?

— Да, спасибо огромное, Нина Филипповна.

— А еще передачку вашу посмотрели! Платье у вас зелененькое такое красивое было!

— Да, мне тоже понравилось.

— У меня теперь все подружки вашу программу смотрят.

— Спасибо, Нина Филипповна. А Аська спит уже?

— Ну, раз к вам не выскочила, значит спит. Тоже умаялась, бедолага. Ну, я пойду, Артур Михалыч со мной рассчитался, спасибо ему. Завтра приходить?

— Господи, а как же, Нина Филипповна!

Разговорчивая женщина ушла. Наташа заглянула к дочке. Та спала крепким сном в обнимку с зайцем. Тьфу, какая гадость! Но Аська так его полюбила...

А утром выяснилось, что Аська заболела. Ничего страшного, насморк, температура тридцать семь и шесть.

— Ничего, полежишь денька три и будешь здоровая! — сказал Артур. — А я тебе чего-нибудь вкусного куплю. Чего моя красавица хочет?

— Твоя красавица хочет... креветок!

— Будут тебе креветки, не вопрос!

— А Нина Филипповна умеет их варить?

— А зачем нам Нина Филипповна? Я и сам их тебе сварю! Тоже мне проблема! Ну все, я побежал! У меня сегодня клиент по фамилии Пальчик!

— Пальчик? — фыркнула Аська. — А как его зовут?

— Виктор Петрович!

— Вот его в школе небось дразнили...

— Да... Наверное, мальчик-с-пальчик?

— Артур, иди завтракать. А ты, Аська, лежи, пей морс.

— Мам, а я есть хочу!

— Здрасьте! Ты уже поела!

— Ну я не знаю, чего-то хочется...

— Хочешь апельсин?

— Да! Только я сама буду чистить!

— Хорошо!

— А ты мне его надрежь!

— Будет сделано!

— Капризничает?

— Да нет, я сама в ее возрасте обожала слегка поболеть, чтобы все со мной носились. Это естественно. Ты кашу будешь?

— Овсянка, сэр?

— Нет, размазня.

— С восторгом! Вкусно! Я вот гречку не люблю, а это ведь тоже гречка?

— Ты не любишь ядрицу, а это продел. Но в сущности та же гречка. Может, еще положить?

— Давай!

И вдруг в кухню ворвалась Аська:

— Папа, папа! Что это такое! Я не виновата!

Она держала в руках своего любимого зайца, из-под фартучка у него сыпались какие-то пакетики. Артур позеленел.

— Это откуда? — Наташа подняла с полу пакетик. Сомнений не было. Зайчик был начинен презервативами. Ее окатило волной такого бешенства, что она едва сдержалась, чтоб не влепить мужу оплеуху на глазах у дочери.

Артур вырвал у девочки зайца и швырнул в мусорное ведро.

— Папа! Зачем ты его выбросил?

— Я тебе другого куплю! Этот оказался бракованный. Ну не реви! Сегодня же куплю тебе другого зайца!

Он подхватил дочь на руки и понес в постель.

Наташа, дрожа от ярости, собрала с полу пакетики. Каких там только не было! Она сложила их в пластиковый мешок.

Но тут вернулся Артур.

— Нет, ты подумай! Какая пакость! Как можно продавать игрушки с таким содержимым! — возмущенно проговорил он. Но увидев, что Наташа достала зайца из мусорного ведра и внимательно разглядывает, побледнел еще больше. — Ты что там высматриваешь? Зачем?

— Да вот гляжу... Неаккуратная у тебя девушка, зашила кое-как, но зато с фантазией... А приемчик пошлейший. Как ты мог с такой связаться? Самому-то не тошно?

Он на мгновение замер и счел за благо ответить:

— Тошно, еще как тошно!

Он обессиленно рухнул на стул.

— Наташ, ты прости меня... Бывает...

— Знаю, что бывает. Но очень уж мерзко. Зачем ребенку-то эту пакость отдал, Зайчик? Тьфу!

— Да я просто не успел выкинуть этого гребаного зайца, ты его практически сразу обнаружила. Поверь, это все теперь в прошлом.

— Ты собирался на работу. Иди и не забудь купить Аське зайца.

— Натуль, ты меня простила?

— Сама не знаю, хотя, наверное, простила за то, что не стал врать и с пылом талантливого адвоката уверять меня, что купил зайца с брюхом, набитым гондонами. Кто эта девка?

— Наташ, не все ли равно? Я о ней больше знать не желаю. Ради бога прости, ты же умная женщина!

— Умная, но брезгливая...

— Натуль!

— И у меня нет сил и времени на скандалы и дрязги. Если погрузиться во все это, я не смогу работать. Артур, мы прожили двенадцать лет, я не так наивна, чтобы думать, будто ты впервые мне изменил. Молчи, я договорю.

— Наташа, поверь...

— Не поверю, но до сегодняшнего дня и ничего об этих изменах не знала и меня это устраивало. И впредь постарайся иметь дело с приличными бабами. Разводиться с тобой из-за такой мелкой твари я не стану. У нас дочь, которую мы оба любим и я не хочу причинять ей боль из-за... Хотя, может быть, у тебя другие планы? И ты как раз хочешь развестись?

— Да боже меня сохрани, как ты могла подумать! Я только тебя люблю, ты вообще самая лучшая женщина на свете. А это было так...

— Ну что ж, значит, сохраним статус-кво, а это... — она протянула ему пакет с презервативами, — прибери, на легкие пересыпы тут надолго хватит. А разнообразие какое — и с шариками и с усиками... Все, уйди с глаз долой, кобелина!

Он рассмеялся.

— Наташка, ты неподражаема!

— Да, и вот еще что... Не покупай больше зайцев. Езжай на Покровку, там есть магазин трикотажа, где продают дивных вязаных котов, Аська как-то ныла, что хочет такого кота, я не купила. Он был дорогущий...

— Наташка, не вопрос, сколько бы ни стоил, к черту зайцев! Ты лучшая в мире жена!

— Это не исключено!

Артур умчался. А вскоре явилась Нина Филипповна.

— Наталья Алексеевна, что с вами?

— А что со мной?

— Вам нездоровится?

— Да нет, все в порядке. А вот Аська приболела, в школу я ее не пустила, пусть полежит...

— А что, простыла?

— Да вроде. Температура небольшая и куксится...

— Ничего, я присмотрю, полечу, старыми методами без этой химии, в три дня все пройдет.

— Я ей клюквенный морс сварила.

— Вот и умничка. А вы сегодня дома?

— Да если бы, у меня сегодня тяжелый день. Через полчаса уже надо выходить.

— Идите, и не волнуйтесь.

— Спасибо, Нина Филипповна.

...Дела так закрутили Наташу, что и подумать о сегодняшнем происшествии некогда было. Ну и хорошо. О чем там думать?

Вечером, когда она вернулась, уже едва живая, Артура еще не было. Она заглянула к дочке.

— Как ты тут?

— Мам, смотри, что папа мне купил вместо зайца!

Аська прижимала к груди большого вязаного кота, черного и прекрасного.

— Ух ты, какой! — восхитилась Наташа.

— Он мне даже больше нравится чем тот, рыжий. И чем заяц! Мам, а что там было в этих пакетиках? Наркотики?

— Да нет, что ты! Это была... китайская жвачка, она ужасно вредная, ее запретили продавать у нас... — вдохновенно врала Наташа. Эту версию она придумала по дороге домой на случай, если дочка спросит.

— А она вкусная, эта жвачка?

— Нет, ужасная гадость.

— А ты пробовала?

— Давно еще, один раз... Фу, даже вспоминать противно. Смотри-ка, а у тебя температуры нет.

— Меня Нина Филипповна тут лечила... Но завтра я в школу ведь еще не пойду?

— Конечно нет. Будешь лежать.

— Вот прямо лежать?

— Вот прямо лежать! А папа не сказал, когда вернется?

— Сказал, что не поздно, он с дядей Сережей пошел в баню.

— В баню? Ну-ну, — усмехнулась Наташа. Грех смывать пошел, подумала она. Отпустив Нину Филипповну, она пошла на кухню, выпила стакан кефира, съела два крекера. Странно, я не испытываю ни злости, ни ненависти. Кажется, я сумела с честью выйти из этой гадкой ситуации. Ненавижу скандалы и семейные сцены. А какая супружеская жизнь обходится без мужских измен? Но зато муж будет ценить меня еще больше.

Она приняла душ, положила на лицо крем и уже собралась лечь, когда явился Артур.

— Наташка, я был в бане...

— Грех смывал?

— Не просто смывал, а выпаривал.

— Да не поможет!

— Почему?

— Все слишком запущено. Радикально может помочь только кастрация.

— Наташка! — расхохотался муж. — А тебе самой-то нужен муж-кастрат?

— Да не очень. Только если у тебя вдруг прорежется контр-тенор.

— Ну это вряд ли, — рассмеялся Артур.

Мир был восстановлен.

Глеб Витальевич был страшно занят, но в редкие свободные минуты он закрывал глаза и видел лицо Наташи. Уж не влюбился ли я? Неужто такое еще возможно? И как с этим жить? Я ей, похоже, совершенно не нужен, а она мне нужна просто позарез... Но что же делать? Это как-то совсем нерационально... глупо, наконец! У меня семья, у нее тоже... Ну и что? Не обязательно ведь жениться. Можно закрутить роман, тайный, волнующий... Да нет, разве такой роман удастся сохранить в тайне? Да с чего ты, Глебушка, взял, что она захочет крутить с тобой роман? Ну, может, из благодарности? Фу, Глеб, самому-то не противно? Что за радость от такого романа, даже если она согласится? Глеб, а ты ведь когда-то был неистощим на выдумки всякого рода, неужто этот бизнес превратил тебя в скучного старого воротилу? Может, надо что-то придумать, как-то развлечь, развеселить ее, чтобы она смотрела на тебя не как на босса, а просто как на еще не совсем старого и неожиданного мужика? Смотрела совсем другими глазами. Но что придумать? Надо пораскинуть мозгами и не торопиться. Если она тебе на роду написана, значит, никуда не денется. А если нет... Значит... Да ничего это не значит! И потом, если я когда-нибудь ставил себе цель, то я ее и добивался.

— Люба, скажи, кто в пятницу будет у Завьяловой?

— Сейчас посмотрю. Ага, вот, Матюхина, Чулков, Розанов и Шпигель.

— Какой Шпигель? Матвей?

— Ну да.

— Он, значит, в Москве? А я не знал. Сто лет его не видел.

— Вы с ним знакомы?

— Мы когда-то жили в одной коммуналке. А в котором часу он будет?

— В четыре.

— Подъеду туда, сделаю Мотьке сюрприз! Вот он удивится! Я-то о нем много знаю, а он обо мне вряд ли.

Матвей Шпигель был знаменитым тренером по фигурному катанию и много лет работал в Америке. В свое время он выиграл чемпионат мира в одиночном катании, но потом получил серьезную травму и сошел с дистанции. Уехал в Америку и воспитал много чемпионов.

Вот здорово, такой прекрасный повод повидать Наташу. Не придерешься! — ликовал Глеб Витальевич, сам себе удивляясь.

— Глеб Витальич! — встретили его на студии. — Давно вы к нам не заглядывали! Вы по поводу просьбы Завьяловой?

— Нет. А что за просьба?

— Она должна вывезти дочку в Юрмалу и просит освободить ей недельку. То есть на следующей неделе сделать два съемочных дня.

— Не возражаю. Если она потянет...

— Потянет. Сделаем съемки в среду и в пятницу. И тогда она сможет в воскресенье смотаться. А заодно и передохнет маленько.

— Превосходно! А кто сейчас у нее?

— Шпигель!

— Отлично! Из-за него и приехал. Мы старые друзья. Я посмотрю?

— Ну конечно!

Наташа в огненно-красном платье с белым шелковым шарфом выглядела ослепительно. А Матвей в элегантном твидовом пиджаке выглядел респектабельным иностранцем. И с плохо скрываемым восторгом смотрел на Наташу. Старый кобель, раздраженно подумал Кузьмин. А ведь он говорит по-русски уже с какой-то нерусской интонацией.

— А скажите мне, Матвей Ильич...

— Лучше просто Матвей, я как-то отвык от отчества.

— Но мы же все-таки в России, — мягко улыбнулась Наташа. — Итак, Матвей Ильич, что привело вас в Москву после стольких лет? И вы как-то говорили, что не хотите возвращаться...

— Я говорил это давно. Но сейчас мне вдруг захотелось посмотреть Москву, к тому же меня пригласили поучаствовать в одном телепроекте, так что...

— А как вы считаете, ситуация с фигурным катанием в России изменилась к лучшему?

— О, несомненно, и это отнюдь не случайность, а тенденция.

— А с чем это связано по-вашему?

— Ну, тут много факторов, но основная заслуга тут безусловно принадлежит Илье Авербуху, благодаря его проектам интерес в стране к фигурному катанию так невероятно возрос! Мамы вновь стали отдавать своих ребятишек в фигурное катание.

— То есть количество неизбежно переходит в качество?

— В спорте это правило работает стопроцентно!

— Но ведь огромное число русских тренеров готовит чемпионов в других странах. Шпильбанд, Синицын, Зуева, Крылова и еще многие воспитывают наших соперников.

— Ну и прекрасно, дорогая моя! А какой интерес соревноваться со слабым соперником? И это ли не признание всемирного значения русской школы фигурного катания? А вы, Наташа, любите фигурное катание?

— Обожаю! — искренне призналась Наташа.

— А у вас есть дети?

— Есть. Дочка. Вы хотите спросить, отдала ли я ее в фигурное катание? Отвечаю сразу — нет! Но на коньках она прекрасно катается. Однако она не слишком музыкальна. И сама не жаждет быть фигуристкой. Скажите, Матвей Ильич, а ваш сын, он ведь тоже далек от спорта, насколько мне известно?

— Вам и это известно? Да, мой сын как раз очень музыкален, но совершенно не спортивен. Он играет на скрипке. К сожалению, я не часто с ним вижусь, он живет с матерью, а мы в разводе. Черт возьми, Наташа, я никогда в интервью не говорю на эту тему, а тут... Вы здорово располагаете к откровенности. А это ох как опасно.

— Ну, Матвей Ильич, все, что можно было сказать, вы уже сказали. Спасибо вам за эту беседу, мне было очень приятно и интересно!

— Спасибо вам, Наташа! Это было, вероятно, лучшее интервью за много-много лет. — И он поцеловал Наташе руку.

— Матвей Ильич, а разве в Америке еще целуют дамам ручки?

— Практически нет. Но мы же в России, как вы сами изволили заметить, и я не могу отказать себе в таком удовольствии — поцеловать ручку столь обворожительной женщине. — И он еще раз поцеловал Наташе руку.

У Глеба Витальевича все внутри перевернулось от ревности.

— Ну, это мы вырежем, — сказала пожилая редактриса.

— Ни в коем случае! — отрезал Глеб Витальевич. — Это замечательная краска!

В этот момент из студии вышел Шпигель.

— Что, попался, старый? — приветствовал его Глеб Витальевич.

Шпигель посмотрел на него с недоумением и даже высокомерием, но тут же расплылся в улыбке.

— Глеб? Ты? А что ты тут делаешь?

— Ну, вообще-то это мой канал...

— Что значит твой?

— Это я его создал! — с гордостью произнес Кузьмин.

— Ну ты даешь, Глебка!

Старые приятели обнялись.

— Страшно рад тебя видеть, Глебчик! Ты из-за меня пришел?

Ага, щас, усмехнулся про себя Глеб Витальевич. Но, разумеется, ответил:

— Ясное дело, столько лет не виделись.

Тут появилась Наташа. При виде Кузьмина она почему-то испугалась.

— Наташа, это было здорово! — подошел к ней Кузьмин.

— Спасибо. Простите, Глеб Витальевич, мне нужно готовиться к следующей съемке.

— Ну конечно, Наташа. Да, кстати, мне тут сказали о вашей просьбе, на следующей неделе снимаетесь два раза.

— Ох, спасибо, а то у мужа процесс, он не сможет отвезти дочку.

Слышать про мужа было противно.

Она ушла.

— Слушай, Мотя, давай закатимся куда-нибудь, посидим, расслабимся, а?

— А давай! Я только отменю сейчас одну встречку и буду в твоем распоряжении. Сколько мы не видались? Лет двадцать?

— Примерно.

...Глеб Витальевич любил рестораны, но не те, в которых можно встретить людей из тусовки, а скромные, средней руки, где вкусно кормят, но, что называется, без пафоса.

— Не удивляйся, Мотька, тут хоть и скромно, но вкусно и достаточно уютно, а главное, мала вероятность встретить кучу ненужных людей. Ну, как живешь, чемпион?

— Вспомнил тоже! Когда это было, и мало кто такого чемпиона помнит. А вот тренер я действительно люкс!

— Да знаю, наслышан! Про личную жизнь узнал кое-что из Наташиного интервью...

— Слушай, какая девка, обалдеть! Я просто глаз от нее оторвать не мог! Где ты такую нарыл?

— На перроне Московского вокзала в Питере. — И Кузьмин рассказал старому приятелю, как впервые увидел Наташу.

— Уууу, старик, а ты ведь по уши! — засмеялся Шпигель. — Да и не мудрено. В ней столько всего... И соль, и перец, и еще куча пряностей... Э, бизнесмен, да ты покраснел! Обалдеть... Глебушка, это что, любовь без взаимности?

— Да какая там любовь, — смущенно пробормотал Кузьмин. — Да, она мне нравится, даже очень, но у меня семья, два сына, у нее муж и дочка.

— А кто у нас муж?

— Блестящий молодой адвокат, очень интересный парень.

— Глебчик, ты тоже, между прочим, не лыком шит, и к тому же, как я понял, крутой босс...

— Мотя, это не тот случай.

— Скажи, а ты уже делал какие-то заходы?

— Нет. Никак не решусь...

— Ну и дурак! Упустишь ведь. Сколько лет она замужем?

— Не то десять, не то двенадцать...

— А любовники есть?

— Мне об этом ничего не известно. Но однажды в разговоре на совершенно посторонние темы она обмолвилась, что очень верный человек...

— Да, на потаскушку не похожа. Слушай, Кузьмин, а помнишь ты рассказывал, что покорил одну девчонку, подкинув на речке бутылку с признанием в любви?

— Ох, да, я тогда засунул письмо в бутылку, измазал ее в глине, в тине, в водорослях, и когда мы с девочкой пошли на речку купаться, нашел эту бутылку в камышах у берега... И отдал ей. Мне тогда было лет двенадцать... И что, предлагаешь проделать то же самое с Наташей? Но мне сложно представить себе ситуацию, где это можно...

— Глебчик, ситуацию надо создать.

Сердце вдруг радостно забилось. Да! Да! Да!

...В Риге на вокзале Наташу с дочкой встретил мамин муж Сергей Данилович, удивительно обаятельный дядька лет шестидесяти.

— О, а вот и наши девочки приехали!

— Добрый день, Сергей Данилович, а где мама?

— Как где? Где в такой ситуации положено быть маме? Разумеется, у плиты! Готовит все самое вкусное для дочки и внучки. Доехали нормально?

— Да. Я бы предпочла на самолете, но Артур не позволил.

— Да, папа говорит, что у него не будет спокойной минутки... — сообщила Аська. — А что у вас в пакете?

— Ребенок зрит в корень! В пакете для тебя кукла. Держи!

Он забрал у Наташи чемодан и они пошли к машине.

— Наташ, ты к нам надолго?

— На пять дней, больше не получится.

— Да, ты ж теперь звезда телеэкрана.

— Да бросьте, Сергей Данилович.

— Почему? Мы с Нютой все твои программы смотрим. Ты такая молодчина. Мы тобой гордимся! Аська, а ты гордишься мамой?

— Очень сильно горжусь! Мне в школе говорят — твоя мама крутая!

— Аська! — одернула ее Наташа.

Девочка обиженно замолчала, а вскоре уснула. В поезде она плохо спала.

— Сергей Данилович, а как мама себя чувствует?

— Знаешь, хорошо. Ей очень показан здешний воздух. Море, сосны, йод и что там еще. Совсем перестала кашлять, спит как младенец. В бассейн начала ходить...

— Здорово! — обрадовалась Наташа.

— А вот у тебя усталый вид.

— Да я ненавижу поездом ездить. Спать не могу, а тут еще вторжение пограничников... То ли дело самолет!

— Но с мужем лучше не спорить?

— Конечно.

— Родные мои, — рыдала Анна Альбертовна, — как же я соскучилась!

— Бабуля, ты видишь, какая я большая стала?

— Да, тебя и не узнать, совсем барышня!

— А чем это так вкусно пахнет?

— Твоим любимым кексом.

— С цукатиками?

— А как же!

— Кайф! Ох, бабуля, я соскучилась! Ты почему к нам в Москву не приезжаешь?

— Отвыкла я от Москвы.

Ах, как хорошо, как уютно и легко в доме у мамы... Как будто груз какой-то свалился с плеч. И этот миляга Сергей Данилович... С таким хорошо встречать старость. Господи, о чем я думаю, какая старость, мне только тридцать два...

Вечером Анна Альбертовна предложила:

— Натик, не хочешь пройтись перед сном к морю? Мы каждый вечер гуляем.

— Да, девочки, вы идите, а я тут с внучкой поиграю. Идите-идите! — ответил Сергей Данилович.

— Мамочка, тебе хорошо с ним? Он такой славный!

— Знаешь, Натик, мне никогда и ни с кем не было так хорошо, как с Сережей. Он не просто славный, он удивительный. И главное, я все время чувствую, как он меня любит. Это так важно... Ну ладно, а как ты, моя маленькая? Я тобой горжусь, у тебя на редкость интересная передача. Вот никогда не думала, что ты будешь на телевидении. А тебе самой-то это нравится?

— Еще как! Хотя вокруг столько всякого... Злобы много, зависти... Можешь себе представить, я с Лоркой поссорилась.

— Не может бать! Из-за чего?

— Да на ровном месте. Она мне несколько раз звонила в моменты, когда я не могла говорить. Если я видела ее звонки, всегда перезванивала, как бы поздно это ни было. И вот как-то перезваниваю, а она вдруг спускает на меня всех собак, мол я зазналась, у меня звездная болезнь и все в таком духе...

— Это зависть, Натик, в чистом виде.

— Понимаю, но это так неприятно, и с того момента мы перестали общаться. И на работе... Случайно обнаружила, что мне подготовили негодный материал...

— Что это значит?

— Ну, с перепутанными фактами, датами, то есть если бы я не заметила, могла бы опозориться...

— Но ведь передача идет в записи?

— Ну и что? А каково было бы краснеть и извиняться перед пришедшим ко мне человеком?

— А ты нашла, кто это старается?

— Нашла.

— И что сделала?

— Поговорила с глазу на глаз. Сказала, что если такое еще повторится, и это было раза три, я скажу Кузьмину, и если она хочет сохранить работу, лучше ей эту практику прекратить. Она рыдала, просила прощения, умоляла никому не говорить, клялась, что никогда впредь... Ну, сама понимаешь. Но все это ужасно противно. И все равно я теперь сама проверяю все, и времени ни на что уже не остается.

— А как с Артуром?

— Тоже все непросто, мамочка.

— Ревнует к работе?

— Ревнует. И ходит на сторону.

— Натик! — огорчилась Анна Альбертовна. — Но это же неизбежно...

— Я понимаю, — грустно проговорила Наташа.

— Ничего, моя маленькая, все образуется. А Лорка твоя мне никогда не внушала доверия.

— Ох, мама... Но ничего, есть и положительные моменты.

— Рассказывай!

— Ну, главное, мне эта работа безумно интересна.

— Да, это очень важно!

— Кроме того, мне платят приличные деньги и еще... Я подружилась с Таней Алешиной.

— Это которая ведет новости?

— Да! Классная баба! Вот в ком ни капли гнусности. И мы с ней поедем в июле, когда у нас будут каникулы, в Испанию, мы сняли там домик. Она с сынишкой и мы с Аськой! Возьмем напрокат машину, поездим по стране...

— А почему не в отель?

— Мамочка, мы с ней, как это ни смешно, медийные лица.

— Ох, да... А в принципе, ты могла бы оставить мне Аську на все лето.

— Нет, мамочка, я должна хотя бы месяц побыть с дочкой.

— Права, ничего не скажешь, права.

— Ох, а еще Интернет...

— Не говори, это просто ужас! Сколько же в людях злобы! Какие гадости пишут... Мне Сережа запретил вообще туда заглядывать. Я с кое-какими подружками общалась в фейсбуке, так Сережа своей волей удалил меня из всех соцсетей. Я сперва расстроилась, ругалась с ним, а он мне сказал: «Нюта, надо очень не любить свою дочь, чтобы читать о ней такие пакости, заведомую ложь и грязь. И для здоровья вредно. А если ты будешь это продолжать, я просто выкину твой компьютер. А свой так запаролю, что тебе в жизни не открыть». И он прав. Мне стало легче жить. Я теперь захожу в Интернет только если мне нужно что-то узнать, а с подружками переписываюсь по электронной почте.

— Ты у меня умница, мамочка.

— А скажи... За тобой кто-то ухаживает?

— Да нет, когда мне...

— Неужто ни один из твоих интервьюируемых не влюбился в тебя?

— Да вроде нет, — улыбнулась Наташа.

— А тот человек, который пригласил тебя на эту работу?

— Кузьмин?

— Ну да.

— Нет, мама, он просто ценит меня, хорошо ко мне относится. И все.

— А сколько ему лет?

— Не то сорок восемь, не то сорок девять.

— А он интересный мужчина?

— Да ничего, вполне. Но мама, там, я думаю, просто нет ни времени, ни сил даже на такие мысли...

— А если бы нашлось время?

— Это нереально, мамуля! А мне и ни к чему.

— А ты вот сказала, что Артур ходит на сторону?

— Ходит, — пожала плечами Наташа.

— Ты уверена?

— Уверена. Он однажды прокололся, пришлось признаться...

— Не заостряй внимания на этом, побегает и перестанет.

— Противно.

— Понимаю. Но ради Аськи...

— Именно. Только ради Аськи. Она обожает отца.

— Какой-то у тебя голос грустный.

— Да нет, просто усталый.

— А ты прямо завтра, как встанешь, отправляйся гулять босиком по воде. У бережка-то вода не очень холодная, такой бодрости наберешься, морем подышишь, мысли и чувства в порядок приведешь. И иди одна. Вот увидишь, к концу своего пребывания будешь как новенькая. Только встань не очень поздно.

— Да я в семь просыпаюсь, как бы поздно ни легла.

— Вот и чудесно. А хочешь, возьми велосипед.

— Нет, лучше по воде пошлепаю.

И в самом деле, утром Наташа вскочила, натянула джинсы, футболку и побежала к морю. Засучила джинсы и ступила в тихую прибрежную воду. В первый момент взвизгнула, но тут же ощутила блаженный прилив бодрости. Надо же! Она шла, подставляя лицо влажному соленому ветерку, и вся муть последних месяцев словно выходила из нее. Мама была права. Как хорошо! Интересно, а в Испании будет такая возможность? Но там море теплое... Она проходила так полтора часа и совершенно обновленная вернулась в дом.

— Ох, мамочка, как здорово! — воскликнула она, входя в кухню, где витали умопомрачительные запахи.

— Беги в душ, через двадцать минут будем завтракать.

— Ох, только бы завтра дождя не было!

— А и будет, не страшно. Наденешь дождевик и пошлепаешь.

— Вон даже как! — засмеялась Наташа.

После завтрака они все сели в машину и поехали по окрестностям. Анна Альбертовна с Наташей заглядывали в какие-то магазинчики. Накупили Аське летней одежды, а Сергей Данилович подарил ей красивый кулончик из красновато-коричневого янтаря. Девочка была в восторге. Обедали в армянском ресторане, где готовили роскошный шашлык.

— Вот это шашлык! — восторгался Сергей Данилович. — А когда-то, в глубоко советские времена, мы с компанией приехали в «Юрас перле»...

— Это что, дедушка?

— Ресторан такой тут, в Юрмале, ну, во-первых, дело было летом, а наших девушек не хотели пускать без чулок, а, во-вторых, шашлык тут подавали с рисом... Абсурд!

— Дедушка, а почему без чулок не пускали?

— Сейчас бы сказали — понты!

— Но если вам дали шашлык с рисом, значит вас все же пустили? Или вы без девушек пошли?

— Ну как такое возможно! Нет, просто дали денег швейцару.

— А сам шашлык-то был вкусный? — допытывалась Аська.

— Да полное дерьмо! Но там играл отличный ансамбль. И вообще было весело...

Потом поехали домой, Сергей Данилович жаждал посмотреть футбол, а все три женщины уселись на веранде играть в подкидного дурака. День прошел чудесно. Звонил Артур, говорил какие-то хорошие слова, и в результате Наташа легла спать с ощущением, что жизнь все-таки прекрасна. А ночью ей приснился Кузьмин. Он стоял возле какой-то заброшенной башни. Звал ее и говорил, что это старый маяк и если подняться наверх, можно увидеть будущее. А Наташа во сне боялась... И не хотела видеть будущее. А он тянул ее за руку, она сопротивлялась, но он был сильнее, прижал ее к себе и стал что-то шептать. Наташа проснулась в смятении. Во сне объятия Кузьмина были ей очень приятны. Еще чего, подумала она. Очень надо! Она вскочила, выглянула в окно. Погода, кажется, прекрасная будет. Она наспех оделась и побежала к морю. И опять холодная вода привела ее в восторг. Вчера на пляже в это время какие-то люди все-таки встречались, а сейчас было совершенно пусто. Наташе вдруг захотелось побежать бегом. Она побежала, разбрызгивая воду. Захотелось кричать от радости, но тут она увидела, что навстречу ей тоже по воде бредет какой-то мужчина. Она не стала кричать и перешла на медленный шаг. Зачем привлекать к себе внимание? Мужчина был еще далеко, и вид у него был задумчивый. Одет он был так же, как Наташа: закатанные до колен джинсы и рубаха навыпуск. Стиль унисекс, со смехом подумала Наташа. Ей вдруг почудилось что-то знакомое в облике мужчины. Кто бы это мог быть? Она вгляделась. Но это невозможно, абсурд, глюки! Кузьмин? Нет, не он... Да нет, конечно, это он. Собственной персоной. Он вдруг замер, увидел Наташу, замахал руками и побежал, как давеча бежала она. Какая-то неодолимая сила вдруг толкнула ее вперед, она вскинула руки и тоже побежала.

— Наташа! — Он схватил ее в объятия и поцеловал, прижимая к себе что было сил. Это произошло так естественно, что оба даже не удивились.

— Откуда вы здесь? — пробормотала вдруг смутившаяся Наташа.

Он выпустил ее и тоже замялся.

— Да вот… приехал… Я не мог… больше не мог… без тебя… без вас… Я люблю вас, Наташа!

— Боже мой… Вы мне сегодня приснились. И вдруг…

— Да… такое всегда бывает вдруг…

— Вы… из-за меня приехали?

— Ну конечно. Мне сказали, что вы в Юрмале…

— Но как вы меня нашли?

— Узнал адрес вашей мамы, подъехал к дому и увидел, как вы возвращаетесь с пляжа… Но не решился… Ах, это все неважно, Наташа… Ты… Вы рады мне?

— Я не знаю… Нет… Я так рада, до ужаса рада!

Она вдруг обняла его и поцеловала в губы. Он задохнулся, прижал ее к себе.

— Ты чудо, Наташка моя, таких больше нет… Я думал, мучился, что-то сочинял… А ты… вдруг просто побежала ко мне. И — все, ничего даже говорить не надо…

— Но ты почему-то все время говоришь… Лучше поцелуй меня еще… Меня никто еще так не целовал…

Они стояли по щиколотку в воде и самозабвенно целовались, с трудом переводя дыхание, не в силах оторваться друг от друга.

— Пойдем, — прошептал он, оторвавшись от ее губ, — у меня тут недалеко машина, поедем ко мне...

— Нет, я не могу, это невозможно, у меня тут дочь, мама... Они же с ума сойдут...

— Да? Я понимаю, но потом, попозже... ты сможешь?

— Наверное... Знаешь, ты позвони мне. Хорошо?

— Хорошо. Обязательно. Ты мое самое большое чудо в жизни, Наташенька. Я провожу тебя?

— Нет, мне надо хоть чуть-чуть очухаться... Со мной такого еще не бывало...

— Со мной тоже... Или я просто уже не помню, забыл, что такое бывает... У меня крышу совсем снесло... Смотри-ка, а мы с тобой одеты совершенно одинаково, надо же... Все, иди...

— Иду...

— До встречи, любимая.

— Ага...

И она побрела обратно, не оглядываясь. Боже, что это? Вихрь! Ураган! Цунами! Еще час назад между нами были не просто барьеры, а практически непреодолимая пропасть и вдруг... А я про себя даже не подозревала... Мне казалось, что он слегка ко мне неравнодушен, но сама-то я этого не ощущала, ни в малейшей степени. И вдруг! Что же делать? Ведь это так все осложнит... А что если нас кто-то видел или, еще того хуже, заснял на телефон? Такое вполне возможно... Вот ужас-то... Да ну... кому надо тут нас подлавливать ни свет ни заря, это просто уже фобия... Но какой он... Какой сильный, крепкий, как от него хорошо пахнет, как он целуется... Я хочу с ним спать... Прямо сегодня... сейчас... Со мной ничего подобного не было... Я же была «верная супруга и добродетельная мать»... Одна пробежка по воде навстречу друг другу и куда девались верность и добродетель? Нету, испарились... Цунами! Что происходит с вами? С нами? Цунами!

Она добрела до дому. Мать была в саду.

— Натик! Что с тобой? — испуганно спросила она.

— Со мной? Цунами!

— Наташа! Что случилось? Э, да я, кажется, поняла... У этого цунами есть фамилия?

— Фамилия? — каким-то пьяным смехом засмеялась Наташа.

— Натик, ты что, совсем с ума сошла?

— Кажется, да, мамочка!

— И что это?

— Мама, Кузьмин приехал... Ко мне...

— И что?

— И нас просто бросило друг к другу... крышу снесло... Цунами...

— Вы уже... того?

— Нет пока...

— Пока?

— Да, мамочка, это неизбежно... Я умираю...

— Натик, я тебя никогда такой не видела... — испуганно пробормотала Анна Альбертовна.

— А со мной такого еще не было. Знаешь, он мне приснился ночью. А утром... он шел мне навстречу по воде и вдруг побежал и я тоже. И все... Все преграды разом рухнули... Он сказал, что любит меня... Мамочка, что же это?

— Это... это беда, Натик.

— Да почему? Это так прекрасно...

— Дурочка моя, — Анна Альбертовна усадила дочь на скамейку в саду, обняла, поцеловала. — Сколько ему лет, Натик?

— Сорок восемь, кажется.

— Ага, седина в бороду... В принципе это не страшно, но... он же твой начальник, семейный и похоже богатый.

— А причем тут его материальный статус?

— Наташка, ты никогда не была дурой, а сейчас...

— Нет, я правда не понимаю...

— Ну, какая бы у вас ни была безумная любовь, все станут говорить, что ты корыстная подлая дрянь, разрушила семью. Ваши имена будут полоскать везде, где только можно. А у тебя, между прочим, дочь, муж... Каково им все это будет?

— Мама, но речь ведь не идет о браке... Это просто порыв... Сексуальный шок...

— Вот именно. Как ты сказала, цунами? А что бывает после цунами? Глобальные разрушения... На него мне плевать, а на тебя и Аську нет. Тут рухнет все, и семейная жизнь, и карьера... Но я вижу, до тебя доводы разума не доходят. Так, по крайней мере, постарайтесь не афишировать ничего, сохраняйте глубочайшую тайну... И тебе если приспичит поделиться своими чувствами, то делись только со мной, тебе и так завидуют. А если узнают про такого мужика, вообще сгложут.

— Мамочка, ты говоришь такие страшные вещи, а я...

— А ты чувствуешь себя счастливой, тебе хочется кричать от радости, да?

— Да, мамочка... Понимаешь, я не подозревала, что я тоже... Я видела, что он ко мне...

Но сама... вроде ничего не чувствовала и вдруг... накрыло...

— Мама, бабуля, что вы тут сидите? — закричала с крыльца Аська. — Дедушка говорит, пора завтракать!

— Я в душ! — крикнула Наташа. Запершись в ванной комнате, она мгновенно скинула с себя все и встала перед зеркалом. Все хорошо. Не зря я хожу в фитнес-клуб. А глаза и вправду сумасшедшие. Надо их погасить, а то Сергей Данилович заметит. Она закрыла глаза и провела руками по телу. Глеб... — прошептала она. Я хочу тебя... Господи, если бы кто-то еще вчера вечером мне сказал, что я смогу произнести эту фразу... Вот уж воистину, основной инстинкт... А вдруг он не позвонит? Вдруг одумается? Испугается, наконец? Нет, это вряд ли... Господи, что я тут стою, меня же ждут с завтраком! Она наскоро приняла душ, намазала тело маминым кремом с морскими водорослями и побежала на веранду завтракать. Она вдруг зверски проголодалась. Ей все казалось невероятно вкусным.

— О, как приятно, когда у человека такой аппетит! — заметил с легкой иронией Сергей Данилович. — Ася, бери пример с мамы!

— А я разве плохо ем? А у мамы сегодня просто жор!

— Ага, именно жор! — засмеялась Наташа. — Но у бабушки все так вкусно...

Анна Альбертовна поморщилась. Тон у дочери был чересчур экзальтированный. Она же себя выдаст с головой. Вот уже Сережа на нее недоуменно посматривает. Хорошо, что Аська еще маленькая... Но Артур-то сразу поймет... Ох, беда, беда...

— Смотрите, дождик! — воскликнула Аська. — А мы же собирались в лес...

— Ничего, еще сто раз съездим. Это мама скоро уедет, а ты-то останешься, еще все ягоды в лесу соберешь.

— Сережа, не морочь голову ребенку! Какие ягоды в июне, а в июле они поедут в Испанию.

Зазвонил Наташин телефон. Она залилась краской. Но звонил Артур.

— Привет, жена! Как вы там?

— Да хорошо, только вот дождь пошел, а мы в лес хотели поехать.

— Вот почему я терпеть не могу Прибалтику. Слушай, Натуль, а где у нас таблетки для посудомойки?

— Ох, кажется, кончились. Я просто не успела. Скажи Нине Филипповне, она купит. А ты что, надумал посуду мыть?

— Да, вчера тут ребята нарисовались вне графика, а Нины Филипповны сегодня не будет.

— Не проблема. Составь посуду в машинку, по дороге где-нибудь купишь таблетки и вечером включишь.

— Слушай, а как они называются? Я как-то не обращал внимания.

— Господи, спроси у любой продавщицы таблетки для посудомойки. Такому интересному мужчине они с удовольствием помогут...

Артур довольно рассмеялся.

— А и в самом деле! Дай-ка мне Аську!

— Ась, папа хочет с тобой поговорить.

Она передала трубку дочери. Господи, что я делаю? Мама во всем права. Это добром не кончится. Но ведь еще ничего не началось. А может, и не начнется. Он скорее всего охолонул, одумался... Ему-то, небось, не впервой романы крутить. Хотя я сроду никаких сплетен о нем не слышала. У нас на канале обожают перемывать косточки начальству. А Кузьмин не давал, видно, повода. Или очень уж ловкий конспиратор? Хотя вряд ли...

— Мама, вот твой телефон. Папа говорит, что скучает.

— Да-да... Спасибо.

— Мамочка, что с тобой?

— Ничего, просто задумалась о работе.

Дождь между тем припустил еще пуще. К прогулкам погода явно не располагала.

— Ну, раз так, будем смотреть кино! — решил Сергей Данилович. — Я тут для Асеньки целую фильмотеку заготовил. Скажи, ребенок, ты «Внимание, черепаха!» видела?

— Нет!

— Ох, Сережа, какой ты молодец, это такая прелесть! — обрадовалась Анна Альбертовна. — Натик, а ты помнишь этот фильм?

— Да-да, помню, правда чудесный. Помнишь, мама, я все допытывалась, что такое тамариск?

— А я не знала, пришлось лезть в энциклопедию...

— «Вова-джан, не рви тамариск!»

— А что такое Вова-джан? — заинтересовалась Аська.

— Мальчик Вова, у которого армянская бабушка, она его так называет, — и, предваряя следующий вопрос внучки, Анна Альбертовна сообщила: — А тамариск это растение.

И тут опять зазвонил Наташин телефон. Кузьмин. Она вспыхнула и выскочила из комнаты.

— Алло!

— Это я. Я здесь, у вашего дома, на машине.

— Я сейчас!

Все сомнения улетучились в один миг!

— Мама! — позвала она.

Анна Альбертовна выглянула из комнаты.

— Он?

— Он, мамочка!

— Господи помилуй! Ладно, беги, ты уже взрослая, должна понимать, что творишь. Только помни о дочери. Да зонт захвати. Он где-то тут.

— Да! Спасибо, мамочка!

— Когда тебя ждать?

— Откуда я знаю? Мам, как я выгляжу?

— Если честно, я тебя такой красивой еще никогда не видела, горе мое!

Наташа подпрыгнула на месте, схватила зонт и сбежала с крыльца.

Глеб Витальевич увидел, что Наташа бежит к машине, держа в руках нераскрытый зонтик, хотя дождь так и хлещет. Счастье мое! Он выскочил ей навстречу, под дождь, принял ее в свои объятия, поцеловал.

— Ты вся мокрая...

— И ты... — пьяным смехом залилась Наташа. — Ну и что? Не растаем же!

— Факт, не растаем! — Он прижал ее к себе так крепко, что она едва не задохнулась.

— Глеб!

— Наташка моя! Ох, ты же простудишься! Садись скорее!

Она скользнула на переднее сиденье и пристегнулась ремнем. Он тоже сел в машину.

— Поехали!

— Куда? Хотя мне все равно, если честно...

— Господи, Наташка!

Эту сцену в окно наблюдали Анна Альбертовна и Сергей Данилович.

— Нюта, что это?

— Сам не видишь?

— Но кто этот человек?

— Кузьмин. Хозяин канала.

— Это любовь?

— Что я об этом знаю? Он примчался сюда за ней... И она буквально спятила... А раньше, говорит, даже не подозревала...

— И куда он ее повез?

— Куда не знаю, а вот зачем — понятно без слов.

— Ох, грехи наши тяжкие.

— Знаешь, я никогда ее такой не видела. Уж как она была влюблена в Артура, вроде бы с ума сходила, но где там...

— Но тогда она была девочкой, а сейчас это взрослая женщина и страсть ее накрыла по-взрослому. Как, говоришь, его зовут?

— Глеб Витальевич Кузьмин.

— Не знаешь, он женат?

— Женат. Двое детей, правда, дети уже большие. Ох, Сереженька, что-то мне страшно… Я ее спросила, когда вернется, она сказала, что понятия не имеет…

Глеб Витальевич проснулся с ощущением такого невероятного, такого молодого счастья, что сам себе не поверил. Неужели? Да, вот она, рядом, спит и глаз невозможно от нее оторвать. В моей жизни такого еще не было… И не будет уже, я теперь не смогу без нее жить, я отравился… Я ехал сюда, думал, что и как говорить, что выдумать, чтобы завлечь ее, а она… просто побежала мне навстречу и все, и ничего говорить не надо. Зачем какие-то дурацкие слова, если и так все ясно? И это не благодарность за карьеру, не какие-то виды на меня, нет, это как минимум страсть, а может, и… любовь? Или этого не может быть? А почему, собственно? Я же вот люблю ее… И что с этим делать? Ну, прежде всего, надо быть чрезвычайно осторожными, нам обоим. Не дай бог кто-то что-то заподозрит. Такое может подняться... Начать надо с того, что я разведусь. Пока только я. Будет, конечно, шум, но с нею он не должен быть связан. Столько лет прожить с Людой... Но любви ведь и не было... Я создал ей прекрасную комфортную жизнь и не собираюсь ничего ее лишать. Дом, который она так любит, останется ей. А Юрка взрослый, хочет и дальше учиться в Англии. И на здоровье. А Ленька? Он как-то заикнулся о Джульярдской школе, но вроде бы не всерьез... Но теперь пусть поедет, и Люда с ним... Английский она знает, с этим проблем не будет, сниму им хорошую квартиру в Нью-Йорке, они ни в чем не будут нуждаться... И если во время развода рядом со мной никого не засекут, то и обсасывать подробности развода будет неинтересно... А через несколько месяцев разведется Наташа. И выйдет за меня замуж. Да, но все это время она будет жить в своей семье, спать со своим мужем, а я же этого не перенесу! Я буду сходить с ума и наделаю кучу глупостей...

Но тут у нее задрожали ресницы и она открыла глаза.

— Глеб? Значит, мне все это не приснилось?

Она протянула руку и погладила его по щеке.

— Тебе не приснилось, любимая...

— Я долго спала?

— Не знаю... Счастливые часов не наблюдают... — нежно улыбнулся он.

— Глеб, я... Со мной такого еще не было... Это... я тут придумала про нас: «Что с нами? Цунами!» Я дура, да?

— Цунами, говоришь? А ведь ты права... Это цунами. Знаешь, я был в Индонезии, когда случилось то страшное цунами, и чудом остался жив, мы просто уехали в глубь острова, а когда вернулись на другой день, от отеля остались одни обломки...

— Это было очень страшно?

— В тот момент уже нет... Только, что называется, задним числом... Вот и сейчас... одни обломки... Скажи мне, ты выйдешь за меня замуж?

— Глеб? Вот так, сразу?

— В том-то и дело, что сразу нельзя.

И он изложил ей свой план.

— Глеб, но, может быть, не стоит так сразу все ломать?

— Так ведь уже сломалось... По крайней мере для меня. Я не смогу больше жить так, как жил. Не смогу без тебя. И я хочу, чтобы ты была моей женой, хочу засыпать и просыпаться рядом с тобой на законном основании. Ты с мужем венчалась?

— Нет.

— Вот и я тоже. Но ты не готова с ним развестись?

— С ним — готова, хоть сию минуту, но Аська... Она обожает отца...

— Но ты же не станешь препятствовать их отношениям?

— Я — нет, но он... Он не согласится.

— Он что, такой идеальный верный муж?

— Верный? О нет! — рассмеялась Наташа, вспомнив игрушечного зайца.

— А ты... ты его любишь?

— Ты считаешь уместным задавать такой вопрос в этой ситуации? — неподражаемо улыбнулась она. И потянулась обнять его, поцеловала, а его тело так молодо, так горячо отозвалось на эту ласку... Цунами, мелькнуло в его затуманенном мозгу...

В дверь позвонили.

— Наташка! — воскликнула Анна Альбертовна.

Но на пороге увидела не дочь, а... сына.

— Женечка! — обрадовалась она. — Какими судьбами? Заходи, заходи скорее! Сережа, Аська, Женя приехал!

— Так, а где в такую погоду шляется моя любимая сестренка?

— Именно что шляется, — тихо проворчала Анна Альбертовна.

Женя испуганно оглянулся. Аськи в комнате не было.

— Что ты хочешь сказать, мамочка?

— А то, что сестрица твоя, похоже, роман закрутила и совершенно ополоумела!

— Ну наконец-то! Мне никогда ее Артурчик не нравился. А что за персонаж?

— Ох, Женечка... Мне что-то страшно!

— Неужто криминальный авторитет?

— Господь с тобой! Нет, это... Кузьмин.

— Кузьмин? Тот, который взял ее на канал?

— Именно.

— Похоже, он сразу на нее глаз положил. И чего ты боишься, мама?

— Боюсь... ох, многого, Женька! И что семью развалит... И что травить ее станут... А какая травма для ребенка...

— И давно это у них?

— Сегодня утром началось...

— Ну, это чепуха! Ну, потрахаются люди, большое дело, а ты сразу уже о разводе...

— Да если бы... Ты просто не видел ее. У нее... как будто... крылья выросли, когда он за ней приехал, я сроду ее такой красивой не видела...

— А давно она на этих крыльях улетела?

— Да уж порядочно. Боюсь, и ночевать не явится... А что я Аське скажу?

— Так позвони ей!

— Мне как-то неловко...

— Хочешь, я ей позвоню, сообщу, что приехал, хочу ее видеть?

— Да, Женечка, это хорошая мысль.

— Нет проблем!

Он вытащил из кармана мобильник.

Наташа была в ванной комнате, когда зазвонил ее телефон. Кузьмин невольно глянул на дисплей. Женька. Кто это? Мужчина или женщина? Он взял телефон и открыл дверь в ванную, Наташа голая стояла перед зеркалом, сосредоточенно разглядывая себя. В ее взгляде читалось недоумение.

— Наташенька, тебе звонят.

— Кто?

— Женька. Кто это?

— Это брат! — Она схватила телефон, но звонок уже умолк. Наташа сразу набрала ему. — Алло, братик, ты чего?

— Натка, ты где шляешься? Я здесь, в Юрмале! Только что приехал, а мама тебя потеряла! Ты где?

— Я? В раю!

— Вот так прямо в раю?

— Вот так прямо в раю!

— И в качестве кого? Евы?

— Не знаю... Просто в раю...

Глеб Витальевич расплылся в счастливой улыбке.

— Ладно, сестренка, пора спускаться на грешную землю. Тут твоя дочка, между прочим, уже волнуется, куда это мама подевалась.

— Ладно, через полчаса буду.

— Я скажу нашим, что через час.

— Женька, я тебя обожаю!

— Что случилось?

— Брат неожиданно приехал, надо возвращаться.

— Передай брату, что я его люблю.

— За то, что он избавляет тебя от моего присутствия?

— Нельзя быть такой дурой!

— А у меня мозги улетели вместе с крышей!

— Я люблю твоего брата за ту табличку на вокзале. А ты чего это тут с таким недоумением себя разглядывала? Не знала, какая ты красивая?

— Глеб, это из-за тебя... Мне даже мама сказала, что никогда меня такой красивой не видела...

Ох, как неохота одеваться... Да, Глеб, скажи, а на канале знают, куда ты поехал?

— Разумеется, я поехал в Прагу, где у меня есть квартира.

— Это хорошо. У тебя такой большой опыт конспирации?

— Кое-какой есть.

— Я их всех ненавижу!

— Кого?

— Твоих баб.

Он счастливо рассмеялся.

— Знаешь, в девяностые конспирацией приходилось заниматься далеко не всегда из-за дам.

— А что? Криминальные разборки?

— Еще какие! Вспомнить жутко иной раз. Однажды ко мне в кабинет ворвались двое братков с пистолетами...

— О господи! И что?

— Жив остался, как видишь! И вообще, я не хочу вспоминать о них в самый счастливый день моей жизни.

Кузьмин довез ее до дома.

— Завтра увидимся?

— Зачем ты спрашиваешь?

— Когда за тобой приехать?

— Как сегодня.

— А по воде шлепать пойдешь?

— Не знаю... Ты меня сегодня так умучил, что я могу и не проснуться...

— А я думал, это ты меня умучила, — счастливо рассмеялся он. — Но я за ночь отдохну и завтра с новыми силами встречу цунами... Господи, Наташка, как я тебя люблю, аж все болит внутри.

— И я... И у меня болит... Все, целуй меня на прощание. И гони прочь.

В этот момент кто-то постучал в стекло машины. Они отпрянули друг от друга.

Наташа повернула голову. Это был брат.

Она выскочила.

— Ты с ума сошел?

— Я — нет. Это ты с ума сошла.

Глеб Витальевич хотел выйти и познакомиться с братом Наташи, но она, по-видимому, этого не хотела, и он уехал.

— Натка, ты совсем сдурела! — он обнял сестру, поцеловал в щеку.

— Да, Жень, сдурела. Но я так счастлива...

— Он любит тебя?

— Любит. И я его люблю.

— И что дальше будет?

— Жень, я не знаю. Он строит планы, а мне просто страшно. Я как на американских горках... А ты откуда взялся?

— Был по делам в Таллине и решил махнуть денька на два к маме. А тут — сюрприз! Асютка так выросла. Она стала очень похожа на отца.

— Ладно, пошли в дом.

— Мама жутко напугана.

— Да ладно... Прорвемся, Женька!

— Я тут, пока тебя не было, пошарил в Интернете. Он интересный мужик, этот твой Кузьмин. И как-то никакого дерьма к нему не прилипло. Трудоголик. И здорово богатый.

— Вот этот факт меня меньше всего интересует.

— Да кто тебе, кроме меня и мамы, поверит?

— Понимаю. Но мне плевать.

— Натка, ты учись держать себя в руках. Прежде всего ради Аськи.

— Ты прав, братишка.

— Вот прямо сейчас и начинай.

Наташа остановилась, глубоко вздохнула и сказала себе: два часа я не должна думать о Глебе. А потом лягу в постель, погашу свет и буквально по минуткам смогу вспомнить все, что сегодня было. А пока наберусь терпения ради Аськи.

И это ей удалось.

— Мамочка, ты где была?

— Да тут коллеги с канала были проездом, мы с ними немножко потусили...

— Слушай, Натка, ты завтра отпустишь Аську со мной в Ригу? — лукаво глядя на сестру спросил Женя.

— Зачем это? — притворно нахмурилась Наташа.

— Хочу устроить любимой племяннице праздник! Будем шляться! Аська, хочешь шляться с дядькой?

— Ой, хочу! Я так люблю с тобой шляться, Женечка! Мама, ты меня отпустишь?

— Ну что с вами делать! Отпущу!

Аська помчалась к бабушке сообщить, что завтра они с Женей будут шляться по Риге.

— Женька, братик, у меня нет слов. Спасибо тебе!

— Он тут надолго?

— Послезавтра утром уедет.

— А ты?

— А я еще через два дня. Ты настоящий друг, Женька!

— Для тебя это новость?

— Нет, но просто в такой ситуации...

— Дети, ужинать! — позвала их Анна Альбертовна.

— Идем! — крикнул Женя. — Как приятно, когда мама зовет «дети, ужинать!» Как в детстве...

— Я поеду тебя провожать! — сказала Наташа.

— Нет, родная, нельзя. Вдруг нас кто-то засечет. Нам пока нельзя.

— Ах да, конспирация... Глеб, а что дальше будет?

— Ни о чем не беспокойся, я сделаю все так, что самое большее через год мы будем вместе уже официально.

— Глеб, но как?

— Неважно. Главное, скажи, ты хочешь быть со мной?

— Да. Зачем спрашивать?

— Тогда доверься мне.

— А скажи... мы будем видеться в Москве?

— Будем. Разве я смогу теперь не видеться с тобой? Знаешь, есть сумасшедшие серфингисты, они жить не могут без высоченных волн, вот так и я уже не смогу без цунами... От тебя требуется только одно.

— Что?

— Не вспыхивать при виде меня, как там у Цветаевой... «Не краснеть удушливой волной».

— Не знаю, смогу ли...

— Наташка, скажи, ты и вправду меня любишь? — вдруг спросил он.

— А что, есть сомнения?

— А за что?

— Понятия не имею. Одно знаю точно — не за твои деньги. Пожалуй, за... ощущение полета. Но я с тобой летаю не как на самолете, а как... на дельтаплане, что ли... Твой вихрь меня подхватывает... Понимаешь?

— Понимаю.

— Знаешь, я... У меня много есть еще что сказать по этому поводу...

— Так скажи!

— О, не все сразу! Я буду делать это постепенно. Вот при следующей встрече скажу еще кое-что... А ты? Ты за что меня любишь?

— Это иррационально! — рассмеялся он. — Я сразу в тебя влюбился, но полюбил в тот момент, когда ты побежала мне навстречу!

В самолете Глеб Витальевич закрыл глаза. До Москвы два часа полета и это последние два часа, в которые можно ничего и никого не опасаясь думать о Наташе. Боже мой, еще несколько дней назад она была чужая, недоступная, да, я уже любил ее, но почти не рассчитывал на ответное чувство. А сейчас... Сейчас на всем свете нет существа ближе и роднее. А я ведь не просто люблю ее, я ее уважаю, она умница, образованная, с чудесным чувством юмора, и вообще, прекрасный человек. Я неплохо разбираюсь в людях и она — та женщина, которая мне действительно нужна. Сегодня же поеду к Людмиле и скажу ей все... Нет, все я ей ни за что не скажу. Но она и сама понимает, что наш брак себя исчерпал. Мы уже два года не спим вместе, а мы ведь еще не старые. Вполне возможно, что у нее есть любовник... Ну и на здоровье! Ленька весь в своей музыке...

Он сам не заметил, как уснул и проснулся уже когда самолет приземлился.

Он взял такси и позвонил своему заместителю.

— Митя, как дела?

— Да все более или менее. Как съездили?

— Нормально. Я нужен сегодня?

— Да. Тут проблемы со шведскими партнерами.

— Хорошо. Еду!

Он сразу погрузился в дела. Тут было уже не до любовных томлений.

И вдруг позвонила жена. Она старалась не звонить ему в рабочее время без весомых причин, знала, что он этого терпеть не может.

— Глеб, случилось нечто ужасное!

У него упало сердце.

— Что, Люда? Что?

— Умер Викентий Борисович!

— Ох ты господи!

Викентий Борисович был любимым педагогом сына в ЦМШ.

— Леня просто в истерике. Говорит, что это конец его музыкальной карьеры... Короче, Глеб, приезжай, поговори с ним.

— Люда, скажи ему, что он поедет в Джульярдскую школу. Я это устрою! Я не дам пропасть его таланту!

— Глеб, но как?

— Не волнуйся, я все устрою! И я сегодня приеду непременно! А сейчас прости, я занят.

— Да-да, только приезжай!

О господи, сама судьба за меня! Теперь Леньке прямая дорога в Джульярдскую школу, и Люда, разумеется, поедет с ним, тут и двух мнений быть не может. И я пока не стану говорить о разводе.

Я отвезу их в Нью-Йорк, сниму там квартиру, все устрою. А через месяца два, когда они обживутся, скажу Люде, что развожусь... думаю, ей только легче будет. Она когда-то мечтала жить в Америке, вот пусть и живет себе на здоровье. А я... я женюсь на своей Наташке... Много у меня за жизнь было женщин, но лучше не было. Она как будто создана специально для меня, она мне под стать и в духовном плане, и в физическом. Это моя женщина, и я ни за что ее не упущу! Но нельзя сейчас об этом думать, крышу опять сносит... Как вспомню ее... Свят, свят, свят!

Наташа с ужасом думала о возвращении домой. Артур сказал, что непременно встретит ее на вокзале. И это вполне естественно. Но как сделать так, чтобы он не заметил, в каком я состоянии? А ведь ночью он скорее всего захочет переспать со мной. А я не могу. Но чего заранее пугаться? Наша страсть давно остыла и вполне возможно он тут не терял времени даром. И на здоровье! А я люблю Глеба... Господи, два дня перевернули жизнь вверх тормашками. Ладно, как будет, так и будет. А у меня завтра съемки, надо как следует подготовиться, взять себя в руки, а Глеб обещал, что я могу пока жить спокойно. Легко сказать... Он все время мне мерещится. И я теперь буду сходить с ума в ожидании его звонков. И как мы теперь увидимся в Москве? А вдруг в Москве мы посмотрим друг на друга другими глазами и окажется, что все не совсем так, как казалось там, на взморье? Ну, это было бы прекрасно, только я-то себя знаю... со мной ничего подобного еще не было... Я изменила мужу, первый раз изменила, но с таким наслаждением... И никакого чувства вины. Ни малейшего! Мне казалось, что я опытная взрослая женщина, да ерунда, до Глеба я вообще не была женщиной...

Поезд дернулся и остановился. Приехали! Наташа взяла свою сумку и вышла в коридор. Народу в вагоне было немного, она быстро вышла в тамбур и тут же увидела мужа. Он помог ей выйти, забрал сумку, поцеловал.

— Как доехала, лапка?

— Нормально, я была одна в купе. Но все равно ненавижу поезд.

— Как там Аська? Не капризничала?

— Нет, что ты. Туда приезжал Женька, возил ее в Ригу, всячески ублажал, она в восторге.

— А ты превосходно выглядишь! Такая красивая... Здорово же тебя твой Кузьмин заездил.

— Что? — смертельно испугалась Наташа.

— Да вот отдохнула маленько и уже совершенно другой вид!

Господи, как же я испугалась. На воре шапка горит, вот уж воистину!

— А как там Анна Альбертовна?

— Мне кажется, она счастлива. Сергей Данилович так ее любит и она его... Ну как, совладал с посудомойкой?

— Вполне. Какие у тебя сегодня планы?

— Работа! Завтра съемки, надо подготовиться. А у тебя?

— Да тоже не выйдет побездельничать. Вот сейчас отвезу тебя и за работу. Ни сна, ни отдыха измученной душе... Слушай, ты не голодна?

— А что?

— Давай зайдем куда-нибудь позавтракать.

— А ты не завтракал? — крайне удивилась Наташа.

— Да проспал, и сразу помчался тебя встречать.

— Ну давай.

Значит, он дома не ночевал, а дама утром его не покормила, — отметила про себя Наташа, но как-то холодно, отстраненно. Даже хорошо, никакого чувства вины. Абсолютно! И отвращения он у меня тоже не вызывает. Привычный и даже по-своему любимый муж, вернее, просто родственник. Не очень близкий, но вполне славный...

Они позавтракали в кафе, и Артур отвез Наташу домой.

— До вечера, лапка!

Третье за день интервью было с женщиной, которая позиционировала себя как «писательница и светская львица», Наташа долго отбивалась, не хотела...

— Саша, о чем с ней говорить? Какая она на фиг писательница и что это за титул такой «светская львица», скажи на милость? — допрашивала она продюсера.

— Наташ, ну просили нас... Денег перевели каналу, надо!

— Кто перевел? Хахаль-олигарх?

— А тебе не все равно?

— Нет. И я не смогу быть с ней достаточно дружелюбной. Терпеть не могу эту породу.

— Наташ, не обсуждается!

Она хотела спросить, в курсе ли Кузьмин, но промолчала. Не надо поминать его имя всуе.

Светская львица была очень красива, роскошно одета и старалась быть максимально милой и приветливой.

После вполне обычных несложных вопросов, расположив к себе собеседницу, Наташа спросила:

— А скажите, Альбина, вот вы позиционируете себя как писательницу и светскую львицу, верно?

— Да, — широко улыбнулась девушка.

— А вот хотелось бы узнать, что вы написали, что издали?

— Я еще ничего не издала, но моя книга скоро должна выйти.

— И что это будет? Роман?

— Не совсем. Это будет мой дневник. Я записываю в дневник все свои впечатления, мысли. Один мой... знакомый издатель увидел этот текст и пришел в восторг. Сказал, что это просто чрезвычайно интересно, и всем надо прочесть... И вот скоро книга выйдет.

— Так, с писательством мы разобрались, а вот светская львица...

— А что светская львица?

— Ну, я как-то не очень понимаю... А вот расскажите, Альбина, как складывается, к примеру, день светской львицы? Думаю, телезрителям тоже будет интересно.

— Ну, если вы так считаете, — чуть смущенно улыбнулась красавица. — Извольте! Я встаю в одиннадцать часов, полчаса занимаюсь на тренажерах, у меня в доме есть небольшой тренажерный зал, потом гигиена, потом завтрак и где-то в час дня я еду в город...

— Вы живете за городом?

— Да. Там тихо, никто не мешает писать...

— Простите, я вас прервала. Итак, вы едете в город. И что там?

— Там я встречаюсь с разными людьми, мы приятно проводим время...

— Это тоже светские люди?

— Ну, конечно! Но вы не думайте, мы все ведем исключительно здоровый образ жизни. Не пьем, не курим, и в основном мы все вегетарианцы... Иногда ходим в театр или на концерт, но не очень часто. А потом я возвращаюсь домой и ложусь спать. Вот так и выглядит день светской львицы.

— Насыщенно, ничего не скажешь.

— Вы иронизируете?

— Помилуй бог! Просто констатирую. А вот скажите, Альбина, вам бывает скучно?

— Скучно? Ну что вы! Я так много читаю...

— Здорово! А что вы читаете?

— Ну, в основном эзотерическую литературу, и еще разные духовные практики...

— То есть живете в основном жизнью духа?

— Да.

— Скажите, а у вас есть дети?

— Да, у меня есть сын, но он живет, к сожалению, далеко от меня, и это мое огромное горе... Мой муж при разводе отнял у меня ребенка. Но я сказала себе — я не стану бороться.

— А почему?

— О, такая борьба идет во вред ребенку.

— Но муж не препятствует вашим встречам?

— Нет. Мы достаточно мирно расстались. И я два раза в год езжу к сыну в Испанию. Чаще мне мой психолог не рекомендует.

В гримерной, где как раз гримировали героя следующей съемки, работал монитор.

— Кто эта кретинка? — раздраженно спросил Алексей Вилковский, знаменитый актер, красавец сорока лет.

— Да черт ее знает, — ответил гример Левочка.

— А эта девушка-интервьюерша и есть ваша пресловутая Завьялова?

— Она, красавица, — кивнул Левочка. — Алексей Юрьевич, вот тут немножко подчеркнем?

— Нет, не стоит. Мои года — мое богатство.

— А вообще-то не мешало бы верхние веки чуть подтянуть. Это несложная операция.

— Да ни за что! Зря я, что ли, наживал свои морщины? Может теперь, наконец, буду играть что-то поинтереснее, чем просто герои-любовники.

— Эх, Алексей Юрьевич, — вздохнула гримерша Галина Григорьевна. — Грех вам так говорить. Вы сейчас лучше, чем в молодости, интереснее. И вам еще играть этих героев не переиграть. И потом, в театре-то вы всякое играете...

— Спасибо на добром слове! — улыбнулся артист. — А ведь она эту идиотку наизнанку вывернула... Классная работа! С ней надо держать ухо востро!

В гримерке появилась Наташа. Поздоровалась.

— Простите, Алексей Юрьевич, я должна освежить грим и переодеться. Ничего, что вам придется подождать?

— Ничего. Я освободился на сегодня. А вы просто ас! Я тут посмотрел ваше интервью с этой... Здорово!

— Вы серьезно? Неужто что-то получилось?

— Еще как, красавица! — пылко воскликнул Левочка. — Садись, освежим макияжик... У тебя какое платье сейчас будет?

— Голубое!

— Понял! Глотни сперва кофейку.

— Алексей Юрьевич, а вам кофе не предложили? Или чай?

— Спасибо. Разумеется, предлагали, но я не хочу.

Освежив грим, Наташа встала.

— Съемка через десять минут. Увидимся в студии.

Она улыбнулась артисту.

Ух, до чего хороша! И умная при этом!

Платье было очень красивое. Из легкого полотна с расклешенной юбкой немного ниже колен.

— Красотища! Не думала, что голубой тебе так пойдет, — заметила помощница Валя. — Ты вообще, как вернулась из Юрмалы, выглядишь потрясно. Ты там часом ни в кого не втюрилась?

— Нет, — счастливо рассмеялась Наташа. — Разве что в Балтийское море.

— Да, такая свеженькая, просто огурцом пахнешь.

А ведь Кузьмин еще никак не связывался с ней. Сердце вдруг упало. А вдруг на этом все и кончилось? Я не переживу!

Беседа со знаменитым артистом шла на удивление легко, и оба получали от нее удовольствие.

— Скажите, Алексей Юрьевич, вы как-то говорили, что сейчас артисты редко умеют хорошо читать стихи в стихотворных пьесах...

— Увы, это так.

— Да, но при этом вы и себя не пощадили, сказали что и вам это нелегко дается.

— Увы, и это так, — развел руками артист.

— Но я не так давно была на вашем спектакле «Сид» и мне показалось, что вы-то как раз с этим прекрасно справляетесь? Это что, актерское кокетство?

Он рассмеялся.

— Нет.

— Тогда что? Самокритичность?

— Пожалуй! Ну и еще — меня угнетает падение сценической культуры. Сейчас артистов хуже учат... И говорят они зачастую безграмотно, и манеры... оставляют желать лучшего.

— Их плохо учат или же они плохо учатся?

— Гм... Хороший вопрос! Есть и то, и другое. Конечно, зачем парню хорошие манеры, если он со второго курса начинает сниматься во всякой чернухе с лагерным уклоном? Он уже прославился, стал популярным, его рвут на части, так до манер ли ему?

— Но вы тоже снимаетесь в сериалах, а манеры у вас — не придерешься.

— Так меня еще хорошо учили, и я тоже хорошо учился.

— А на каком курсе вас начали снимать?

— На третьем. Но меня снимали все больше в костюмных исторических фильмах и манеры там были нужны.

— А речь? Вот мы с вами говорим уже много, но вы не сделали ни одной из столь распространенных нынче ошибок. Сейчас даже, вроде бы, образованные люди говорят ужасно.

— О да! Я на каждом шагу слышу этот кошмар: «Я понимаю о том, что...» Или это «то, что»! Ужас какой-то! Или «как бы» через каждые два слова.

— А вы поправляете ваших молодых коллег?

— Поправлял. Но они или обижаются, или смотрят на меня, как на старого хрена, который брюзжит по любому поводу. Но, правда, один парень поблагодарил и даже попросил: «Пожалуйста, поправляйте меня»!

— Значит, все не так уж безнадежно?

— Ох, вы оптимистка! — рассмеялся он.

Глеб Витальевич рассчитывал приехать на студию к последнему интервью, чтобы иметь возможность перемолвиться хоть словом с Наташей и назначить ей свидание. Но попал в пробку и приехал позже. По его расчетам, она еще должна снять грим, переодеться. А если машина задержится, он предложит ей отвезти ее домой.

— Что, съемка уже кончилась? — спросил он.

— Да, Глеб Витальевич!

— А Наталья Алексеевна еще здесь?

— Нет. Машина сломалась и Вилковский предложил отвезти ее. Ой, такое отличное интервью с ним получилось!

— Скиньте мне сегодняшние интервью, я посмотрю...

— Одну минутку, Глеб Витальевич.

— И не только Завьялову, а еще и Артемьева!

— Будет сделано!

Съемки спортивной программы Вени Артемьева триста лет не были ему нужны, но конспирация...

Он поехал на городскую квартиру и первым делом решил посмотреть интервью с Вилковским.

Наташа выглядела изумительно! Господи, какая она... А Вилковский до чего красив, собака! И как он на нее смотрит... Так и пожирает своими глазищами... на ноги пялится, сволочь! А ведь она с ним кокетничает, они, можно сказать, флиртуют в кадре... Он не любит, вроде бы, давать интервью, а тут... распустил хвост, павлин проклятый! И он ее увез? Зачем она с ним поехала? Как она посмела?

Его трясло от ревности. И он схватил телефон. Плевать, что поздно!

— Алло! Это ты? — проворковала она.

— Я. Можешь говорить?

— Могу.

— Ты где?

— Дома. Устала страшно.

— А муж?

— Его нет еще.

— Я приехал на студию, а тебя нет... Сказали, Вилковский увез...

— Ты ревнуешь?

— Жутко! Чуть не спятил! Когда увидимся?

— Когда ты сможешь... А где?

— Я придумал. Завтра в шесть вечера. Адрес скину на телефон. Приезжай, буду ждать.

— Глеб, к тебе я не пойду.

— Да не ко мне. Я снял квартиру.

— А если ты задержишься?

— Я не задержусь, но если вдруг, я тебе сообщу. Только не забудь телефон и не забудь его зарядить.

— Слушаюсь!

— А теперь отдыхай! Я так соскучился...

— И я...

Но тут она услышала, что в дверях повернулся ключ.

— Всего доброго, Ольга Васильевна! Завтра к шести подъеду. Спокойной ночи.

— Кто такая Ольга Васильевна? — спросил вошедший муж.

— Одна профессорша-психолог. На канале хотят сделать с ней интервью, а она не соглашается. Говорит, ей надо со мной сперва познакомиться. Ей уже за семьдесят, я не могу ей отказать. Ты голодный?

— Нет. Я ел. Встречался с клиентом в кафе. А ты как будто не очень и устала. Обычно после съемок ты уже почти труп, а сегодня ничего еще, живая. Я звонил Аське, она там благоденствует и даже не скучает. Подружка какая-то нашлась...

— Вот и слава богу.

...Там явно вернулся муж. Только бы он не потребовал секса... Сегодня, после съемок, может и не потребовать. Она же так устает... Но дальше как будет? Она говорила, что у них с мужем эти отношения сохранились. А мне что, вешаться от ревности? Как подумаю, что она с ним... Хочется его просто убить.

— Артур, я уже падаю.

— Иди, лапка, я тоже скоро приду.

Наташа легла. Обычно после съемок она долго не могла уснуть, а тут еще предстоящее свидание... Но Артур скоро придет, надо притвориться, что я уже сплю. Она свернулась клубочком, подоткнула под щеку угол подушки и закрыла глаза. Неужели меньше чем через сутки я смогу обнять его? Какое счастье! Дверь в спальню приоткрылась.

— Спишь? — шепотом спросил муж.

Она не ответила.

Артур лег рядом. Она не пошевелилась. Он легонько коснулся губами ее обнаженного предплечья. Она не реагировала. Он тяжело вздохнул и потушил свет. Немного поворочался и вскоре затих. Уснул. А ведь он не вызывает у меня отвращения, с удивлением подумала Наташа. Странно... Или это просто многолетняя привычка? Нам всегда было хорошо в постели. Но я просто ничего в этом не понимала... А сейчас... Глеб... Я до него даже вообразить не могла, что способна на такую бешеную страсть. Воистину, цунами. Нет, нельзя сейчас думать об этом... Но не думать не получалось... Я так до утра не усну. Надо выпить таблетку. Она встала, тихонько выскользнула из спальни. Нашла в аптечке феназепам и пошла на кухню за водой. Едва она налила воды в стакан, как появился Артур.

— Ты что тут колобродишь? Ты же вроде уснула?

— Да вот проснулась и чувствую, без таблетки не усну...

— А что это у тебя с глазами?

— А что у меня с глазами?

— Блестят каким-то очень уж сексуальным блеском.

— Не выдумывай! — поморщилась испуганная Наташа.

— Ну, я же тебя знаю... И обожаю этот твой блеск.

Он подошел к ней, обнял, прижал к себе. Донельзя возбужденная мыслями о Кузьмине, она невольно отозвалась на ласки мужа. Зачем я это делаю, я же не смогу... Или смогу? Кажется, смогу... И даже, кажется, хочу...

За двенадцать лет брака такое с ними было впервые.

— Лапка, ты что, только сейчас вошла во вкус? — изумленно пробормотал Артур. — Или у тебя любовник завелся, и он тебя так завел?

— С ума сошел? Какой любовник? Откуда?

— Ну, Наташка, если б ты всегда была такой, никакие зайцы в нашей жизни бы не возникали.

— Ерунда. Если бы я всегда была такой, тебя бы потянуло к какой-нибудь снежной королеве.

— Ну, это вряд ли...

Наташа проснулась поздно. Артура не было. На тумбочке лежала записка. «Лапка, ты лучшая. Я тебя люблю с новой силой. И свежей страстью». О господи! Только мне его свежей страсти не хватало... А вот интересно, кому я изменяю? Мужу с Глебом, а сегодня ночью изменила Глебу с мужем? Нет, все-таки, мужу с Глебом. Ведь если бы не Глеб... ладно, пора вставать. У меня сегодня прорва дел и вечером надо выглядеть на все сто... Она услышала, что пришла эсэмэска.

Открыла. Там был адрес. Похоже, это где-то в Ясеневе. Ничего себе! Шесть вечера, самые пробки. И как раз в сторону от Центра. Но что же делать...

Весь день ее мучил страх, что Кузьмин по каким-то причинам отменит встречу. Но звонка не было, и в пять Наташа поехала в сторону Ясенева. Без четверти шесть пришла эсэмэска: «Я уже на месте. Схожу с ума от нетерпения. Люблю».

Наташа ответила: «Еду, но на дороге пробки». Тут же пришел ответ: «Смиренно жду». Найдя с помощью навигатора нужный дом, Наташа огляделась в поисках машины Глеба. Он всегда ездил на черной «ауди». Но его машины не было видно. Зато Наташе удалось припарковаться достаточно близко от подъезда. Дом был огромный, кодовый замок в подъезде не работал. Пахло хлоркой. Наташа поднялась в лифте на одиннадцатый этаж. В разбитом и исцарапанном зеркале она себе понравилась. Неужели сейчас я его увижу?

Она позвонила. Дверь мгновенно распахнулась, и Глеб втянул ее за руку в квартиру. Запер дверь.

— Наташка, счастье мое! Вот смотри, это наше любовное гнездышко. Тут две комнаты...

— Зачем нам две комнаты?

— Да, ты права... ни к чему... Какая ты... Я с ума схожу, да нет, уже сошел... И я совершенно точно знаю, что сегодня ночью, примерно часа в два... ты... ты спала с мужем!

— Глеб, что за ерунда! — вспыхнула Наташа. А ведь это и вправду было около двух ночи.

— Нет, я не могу быть в претензии, он твой муж, но я чуть не умер. Скажи, это было?

— Да. Было.

— Именно в это время?

— Примерно. Глеб, я...

— Не оправдывайся. Он твой муж, но это ненадолго... У моего младшего умер педагог, я отправляю его в Америку, в Джульярдскую школу, жена уедет с ним. И мы разведемся. И тогда ты будешь моей женой и никто не будет иметь права... Скажи, а Вилковский...

— Глеб, не сходи с ума! Он просто довез до дому смертельно уставшую женщину. Если бы машина не сломалась...

— Он просил у тебя телефон или электронный адрес?

— Нет. Не просил, — совершенно честно ответила Наташа. Свидание явно шло не по тому сценарию, который она себе представляла. Но как же он меня любит, если почувствовал...

— Ты голодна?

— А ты можешь меня покормить? — удивилась она.

— Безусловно. Идем на кухню.

Стол на кухне был изящно сервирован. Стояли какие-то закуски, салаты и даже черная икра в хрустальной вазочке.

— Глеб, это ты так накрыл стол?

— Я! Я между прочим в ранней молодости работал официантом и, как видишь, не утратил навык! Сделать тебе бутерброд с икрой? Любишь икру?

— Люблю и давно не ела, икра сейчас стоит каких-то немереных денег... — сказала Наташа и покраснела.

— А масло нужно?

— Какая же икра без масла? Глеб, а чья это квартира?

— Понятия не имею. Я снял ее через десятые руки. Тут легко затеряться. Такой огромный дом.

— А где ты машину оставил?

— У самого подъезда. А что, не обнаружила?

— Нет.

— Ты искала черную «ауди»?

— Ну да.

— А там стоит старенький «жигуленок» цвета баклажан, — рассмеялся он. — Я сейчас! — он выскочил в коридор и через минуту вернулся.

— А из «жигуленка» мерзкого цвета баклажан вылезло вот такое чмо!

Наташа покатилась со смеху. Обычно безупречно элегантный Кузьмин стоял перед ней в видавшей виды джинсовой куртяшке, на голове джинсовая же панамка и довершали картину очки в допотопной оправе. При этом он здорово сутулился.

— Глеб! Тебя просто невозможно узнать.

— К чему и стремился.

— А я вот о такой мимикрии не подумала. Так рвалась к тебе... Поцелуй меня скорее.

— В таком чмошном виде не смею прикоснуться к звезде экрана. Я сейчас...

Он опять выскочил из кухни и вскоре вернулся. Это был уже обычный Кузьмин.

— Глеб, я люблю тебя, тебя одного, запомни это.

Она обняла его.

— Ладно... Проехали. А я вот подумал, кому ты изменила, мне или мужу?

— Я тоже думала... Вероятно, вам обоим.

— И кто ты после этого, скажи на милость?

— Ну, вероятно, шлюха...

— Вот ты все и сказала, — засмеялся он, усадил ее к себе на колени. — Ешь икру, восстанавливай силы. Они тебе сейчас еще ох как пригодятся. Жаль, ты за рулем... Послушай, а ты никак не сможешь остаться на ночь?

— Сегодня никак. Я наврала мужу, что поехала к одной профессорше... Нет, никак!

— Послушай, а давай мы все ему скажем, вы разведетесь, и мы просто съедемся, а потом поженимся, а?

— Послушай, Глеб... Зачем так торопиться? У нас все еще только начинается. А вдруг выяснится, что мы... что нам будет плохо друг с другом, а мы уже все порушим? У нас же дети, нельзя забывать об этом, мы просто не имеем права...

Он похолодел.

— Так... Ты не хочешь быть со мной?

— Глеб, не говори ерунды. Больше всего на свете я хочу быть с тобой. Больше всего на свете. Но у меня дочь, которая обожает отца. Давай все-таки притремся друг к другу, что-то поймем друг о друге, а не будем сразу все крушить... И еще одно... Я не хочу, чтобы люди говорили, будто

Кузьмин протырил на канал свою бездарную любовницу, что...

— Почему бездарную?

— Ну завистники будут говорить именно так. И совершенно никому не будет дела до того, что я тогда не была твоей любовницей. И вообще никому не будет дела до наших чувств и нашей истины. И пострадаем не только мы, но и наши дети. И твоя безупречная репутация.

— Плевать я хотел на репутацию. Я просто не могу существовать без тебя. Я отравился тобой.

— А не надо без меня! Давай просто будем встречаться вот так, как сегодня...

— И ты будешь спать с мужем.

— Послушай, Глеб, я люблю тебя, и хочу тебя, и мечтаю быть твоей женой...

— Это правда?

— Конечно. Но... Ты говорил, что давно не спишь с женой?

— Факт.

— Но ты сильный страстный мужчина, и я не поверю, что ты ни с кем не спал в эти два года. Однако никаких сплетен о тебе нет. Значит, ты здорово умеешь шифроваться, так?

— Предположим, — усмехнулся он.

— Так откуда я знаю, что ты ни с кем не спишь в мое отсутствие?

— А тебе это неприятно?

— А ты как думаешь?

— Наташка, когда ты так близко, я плохо соображаю... Может, ты и права... А сейчас...

— Сейчас цунами, да?

Когда дыхание выровнялось, Глеб Витальевич сказал:

— Пожалуй, ты права. Не будем спешить. Но скажи, какие у тебя планы на июль?

— Мы с Таней Алешиной сняли домик в Испании, поедем туда.

— Вдвоем?

— Вчетвером. Она с сыном, а я с Аськой.

— Надолго?

— На три недели. А что?

— У нас отпуск месяц. Сможешь на неделю вырваться?

— Куда?

— Я придумаю. Туда, где нас никто не знает.

— И мы там будем вдвоем?

— Конечно. Только вдвоем. И ни одна собака нас там не засечет. Обещаю.

— Да. Смогу. Аська будет на даче у свекрови, а мужу я скажу, что...

— Ни слова о муже, когда лежишь со мной. А я отвезу своих в Штаты, устрою там все для них, а потом мы встретимся где-то... На каком-нибудь малообитаемом далеком острове... Как ты переносишь полеты?

— Нормально. А куда лететь?

— Еще не знаю...

— Глеб, а зачем куда-то лететь? Мне так нравится вот этот необитаемый островок номер восемьдесят шесть. И я так люблю это чмо на шестерке цвета баклажан...

— Наташка! — простонал он. — Ты чудо! Ох, ты меня с ума сводишь, все из башки вылетело. У меня же есть для тебя сюрприз! — Он вскочил с кровати и кинулся в прихожую. И тут же вернулся, держа в руках какую-то коробочку. — Вот, посмотри!

— Глеб, что это? Какое-то украшение? — огорчилась Наташа.

— Да. Колечко. Я... ну... вроде как мы с тобой обручимся...

— Глеб, я не возьму. Пока не возьму.

— Но почему? Ты бы хоть взглянула, оно такое красивое. Просто из женского любопытства.

— Глеб, любимый, давай договоримся на берегу, ты не будешь дарить мне цацки, ты не станешь поднимать мне зарплату...

— Откуда ты знаешь, что я хотел...

— Догадалась.

— Но почему?

— Потому что я люблю не генпродюсера канала, не его владельца, а чмо на «жигулях».

— И куда мне девать это кольцо?

— Спрячь. Будем считать, что мы обручились. А если все же нам суждено быть вместе, вот тогда ты мне подаришь это кольцо, и я с наслаждением буду его носить. Кстати, неплохая экономия.

— О да! И что, я вообще ничего не могу тебе подарить? Совсем?

— Ну почему же! Подари мне махровый халат.

— Махровый халат? — страшно удивился Кузьмин.

— Ну да, а то из душа тут не в чем выйти. Кстати и себе купи тоже. На нашем острове остро не хватает халатов и хороших полотенец.

— Будет сделано, моя госпожа! Ты уже думаешь идти в душ? Я тебя еще не пущу. Знаешь, в ранней юности я, тоже в Питере, встретил свою первую любовь. Мне тогда совсем нечего было ей предложить, но она только смеялась и говорила, что любовь не нуждается в подарках. А больше я таких не встречал. И вот нашлась еще такая... Но имей в виду — я всегда, подчеркиваю, всегда добиваюсь своей цели. А у меня цель сейчас — жениться на тебе и стареть рядом с тобой. И еще я хочу ребенка от тебя, а лучше двоих. Запомни, это моя программа минимум. И никакой муж мне не помешает. И я прекрасно умею ладить с детьми, твоя Аська еще души во мне чаять не будет. Обещаю!

Когда Наташа вернулась домой, Артур был вдребезги пьян.

— Что стряслось? С чего это ты так надрался?

— Да встретил тут одного старого знакомого, вот мы с ним и накатили... Лапка, а ты где была?

— Я ж тебе говорила, у профессорши.

— А... Да, я что-то устал. Пойду спать.

— Только ляг в Аськиной комнате. Ненавижу, когда ты такой пьяный.

— Да? Ну и ладно, не больно-то и хотелось...

Слава богу, подумала Наташа. А ведь Глеб своего добьется. А хочу ли я быть его женой? Наверное, хочу. Я люблю его. Но боже, что придется преодолеть... Может, мне лучше уйти с канала, чтобы обо мне все забыли? Но я не хочу, я люблю эту работу, я даже мечтать о такой не смела...

И ведь у меня получается... Нет, только не это! И Глеб вовсе не хочет, чтобы я была просто женой. Фу, даже думать не хочу! Я буду работать. И вообще, зачем загадывать... Я буду работать, буду встречаться с Глебом, буду наслаждаться тем, что подкидывает мне жизнь, а она, жизнь, сама все расставит по своим местам.

Позвонила мама.

— Алло! Мамочка, как вы там?

— Ой, Натик, я не очень поздно?

— Нет, мамочка. У вас все хорошо?

— У нас да. А ты можешь сейчас говорить? Артур рядом?

— Нет, он спит. Что случилось?

— Я просто ждала, чтобы Аська уснула. Деточка, как там твой Кузьмин? Все продолжается?

— Да, продолжается.

— Ох, Натик. И что, это прямо любовь-любовь?

— Да, мамуля. Именно так.

— Он тебе еще предложение не делал?

— Ну почему же!

— Господи помилуй! И что?

— Пока ничего. Я сказала, что надо повременить, узнать друг друга получше...

— И слава богу! Значит ты не вовсе голову потеряла. А может еще все и рассосется. А ты в Испанию-то поедешь?

— Обязательно! У нас уже билеты на второе июля. За Аськой приедет Артур. У меня не получится.

— Жаль, конечно, но Аська обрадуется. Она скучает по отцу.

Ох, как страшно... Что же будет?

Часть 3

Глеб Витальевич вошел в дом и сразу почувствовал, что атмосфера там предгрозовая. Он насторожился. Жена прекрасно умела создавать в доме это предгрозье. Интересно, что на сей раз?

— Люда, я приехал!

— Вот и хорошо. Надо поговорить.

Тон у нее был холодный и враждебный. Неужто что-то пронюхала?

— Надо, поговорим. Но сначала сделай мне кофе.

— Сделай сам.

— Даже так? Что стряслось?

Он подошел к кофеварке. Включил. Налил кофе в чашку. Сел за стеклянный стол, которого терпеть не мог. Мелькнула мысль: в нашем с Наташкой доме никаких стеклянных столов!

— Я тебя слушаю.

— Ты полагаешь, что мы с Ленечкой уедем, а ты приведешь сюда эту бабу?

— Какую эту, нельзя ли уточнить? — с холодным бешенством спросил он.

— Ну эту, твою, которая у тебя на канале... — Тон у жены был до ужаса презрительный.

— Какой гигантский выбор!

— Глеб, не придуривайся, я слишком хорошо тебя знаю. Я сразу поняла, как только ее увидела.

— Мне эти загадки надоели. Говори прямо!

— Прямо так прямо. Завьялова!

— Ты что, решила, что у меня роман с Завьяловой? Бред! Да, я был бы счастлив завести с ней роман, она восхитительная женщина, но увы... Ты ошибаешься.

— Ты можешь отпираться сколько угодно. Я просто хотела сказать, что подала на развод!

— Что? Подала на развод?

— Именно! Я хочу развестись на своих условиях!

— И что это за условия? Может быть мы решим это дело спокойно, мирно, без эксцессов?

— Ты, значит, не возражаешь против развода?

— А чего мне возражать? У нас что, брак? Нет. Семья? Практически тоже уже нет. Мы друг друга не то что не любим, а прямо-таки едва перевариваем, ведь так? Сыновья у нас уже большие, Юрка прекрасно все поймет, а Ленька весь в своей музыке. Я создам вам в Америке прекрасные условия, вы ни в чем не будете нуждаться.

— Об условиях будем говорить в присутствии адвокатов. Чтобы ты не смог меня облапошить! Имей в виду, я обратилась к мужу твоей Завьяловой. Он будет вести мое дело.

— О, какая сложная стратегия! Ты, значит, объявляешь мне войну? Но зачем?

— А я хочу ободрать тебя как липку! С помощью ее мужа. Чтобы ты ей достался голеньким! Посмотрим, захочет ли она тебя голенького?

— Идея роскошная, но явно не твоя. Ты для этого слишком глупа и примитивна. Но я знаю, откуда ветер дует. Так что передай своей подружке, что ей ох как может не поздоровиться. Я человек мирный, но если меня задеть...

— Ты мне угрожаешь?

— Отнюдь. Я просто предупреждаю твою советчицу. Вы обе вероятно забыли, что я прошел в девяностые. Поэтому со мной лучше действовать мирно. Но ты уже перешла черту. Что ж, вперед! А теперь послушай меня. Я сейчас скажу, на что ты можешь рассчитывать. Я оставлю тебе этот дом со всем содержимым. Покупаю тебе квартиру в Майами, ты всегда этого жаждала. Леньке покупаю совсем маленькую квартиру в Нью-Йорке. И назначаю содержание. Оплачиваю учебу обоих ребят, и выделяю тебе ежемесячную пенсию, достаточную для нормальной, но не роскошной жизни в Майами. Это все! С домом ты можешь делать все, что захочешь, продать, сдавать, хоть сжечь! А если всего этого мало, попробуй в Америке найти какую-нибудь работу. Ты еще не так стара, голубушка. Засим — прощай!

— Так дешево ты не отделаешься! Я отниму у тебя половину канала! Это совместно нажитое имущество!

— Пусть твой адвокат объяснит тебе, какая ты дура! Думаешь, я не предвидел чего-то подобного? Так что умерь свои аппетиты!

— Еще чего! Да даже если я не отберу у тебя все, я так тебя умотаю по судам, что тебя либо инфаркт хватит, либо...

— Какая прелесть! И с такой гнусью я прожил большую часть своей жизни. И заметь, не я этот разговор завел. Не я!

Он выскочил из дома, со всех сил хлопнув дверью, пробежал по дорожке и вскочил в свою машину. И тут же зазвонил телефон. Ленька.

— Алло, папа?

— Да, сын, что-то случилось?

— А разве нет? Папа, я нечаянно услышал... Я хочу сказать...

— Ленька, я жду тебя в машине.

Через минуту Ленька выбежал из дому.

— Папа!

— Привет, сын! Как ты вымахал! Я же тебя все больше за роялем вижу... Может, поедем, где-нибудь посидим, а то я что-то проголодался, и поговорим. Потом я тебя назад привезу.

— Хорошо, папа.

— Ну, Леонид, выкладывай, что ты хотел сказать?

— Папа, я почти все слышал... Это ужасно!

— Что ужасно? — уточнил Глеб Витальевич.

— Я давно подозревал, что у нас только видимость семьи, а сейчас... Мне так стыдно за маму! И еще... Если вы разведетесь... Можно я останусь с тобой?

— Со мной? А как же Джульярд?

— Папа, я не хочу в Америку. Я здесь тоже смогу выучиться. Это была мамина маниакальная идея насчет Джульярда...

— Но мама говорила, что ты был в истерике, когда умер твой педагог...

— Это мама была в истерике. А мне сразу сказали, что меня берет Рейнгольд, а она самый лучший педагог. Но мама говорила, что я здесь погибну. Папа, я ведь не погибну, правда? И потом... может, после школы я... Словом, я не хочу ехать с мамой в Америку.

— Так! Теперь давай разберемся. Ты не хочешь в Америку или ты не хочешь с мамой в Америку?

— Не хочу в Америку! И с мамой и без мамы! Я был там несколько раз, там все какое-то совсем чужое... Папа, а у тебя... есть другая женщина? Так, может, я буду тебе мешать, если останусь?

— Чудак-человек! Как ты можешь мне помешать?

— Не тебе, а твоей женщине?

— Нет, Ленька, она у меня правда есть, но она еще не моя... У нее муж, дочка, и я ее люблю. Но ведь мама тебя без боя не отдаст.

— Не думаю! Она сейчас в таком запале... Ее эта противная Дина накручивает. Ей не до меня.

— Я сразу понял, откуда ветер дует. А я, брат, был бы счастлив, если б ты остался со мной. Просто счастлив!

— Правда, папа?

— Правда, сын!

— А если мама будет судиться из-за меня, то я уже достаточно взрослый, чтобы выбрать, с кем мне жить, верно?

— Верно. Слушай, Ленька, тебе что, было плохо все эти годы?

— Нет. Просто когда умер Викентий Борисович, я вдруг словно проснулся. И до меня дошло, что я жил в розовой вате, а мне уже пора из этого ватного гнездышка выбираться. У меня как будто глаза открылись... Я огляделся вокруг... И что-то, кажется, понял...

Боже мой, какой чудесный парень у меня вырос. Но его надо спасать от матери. И он сам хочет от нее спастись.

— Все, сын, решено! Ты будешь со мной. А как ты считаешь, мать отдаст твой рояль?

Мальчик испуганно взглянул на отца.

— Не знаю... Не уверен...

— Ладно, не дрейфь. Если не отдаст, куплю тебе новый, сам выберешь...

— Папочка, а может... Ты купишь маме новый, а тот мы заберем? Я привык...

— Правильно! Ей он нужен как рыбке зонт. Для интерьера.

— Папа, спасибо! Мне стало так легко... Не надо ехать ни в какую Америку... Ты не думай, я не буду тебе мешать...

— Я и не думаю. Но скажи, тебе хочется куда-нибудь поехать, к морю, в горы? У меня скоро каникулы...

— Ну, к морю хотелось бы... Но как же твоя женщина?

— Моя женщина... едет отдыхать без меня.

Тут в голову ему пришла очень интересная мысль. Но я обдумаю все потом, решил он.

— Лень, тебя куда отвезти, к маме или сразу ко мне?

— К маме. Я должен сам ей все сказать.

— Ленька, может не стоит? Так такая истерика будет...

— Я не уверен. Думаю, мама даже вздохнет с облегчением.

— То есть как? — не поверил своим ушам Кузьмин.

— Может ей будет легче без меня и моей музыки. Ты сказал, что купишь ей квартиру в Майами, это, по-моему, хрустальная мечта... Одного в Нью-Йорке меня оставить... Ее подружки могли бы ее осудить. А так... В Майами она будет в горестной роли матери неблагодарного сына. Будет всем рассказывать, какой мерзавец ее муж... Будет заниматься собой...

— А ты довольно беспощаден к ней.

— Знаешь, папа, когда я, повторюсь, открыл глаза и огляделся вокруг, мне как-то не понравилось то, что я увидел... И еще я написал про это Юрке. И знаешь, что он мне ответил?

— Даже боязно как-то...

— Он ответил, что я все правильно понял, что именно поэтому он и не хочет возвращаться...

— Ленька, а ты не знаешь, какие у Юрки планы на июль?

— Не знаю. А что?

— А то, что я хочу отдохнуть у моря со своими пацанами. Втроем! Как ты на это смотришь?

— Папа, это же мечта!

— Давай, пиши брату, что поступило такое предложение!

Леня вытащил из кармана айфон и тут же стал писать брату.

Глеб Витальевич смотрел на него почти что сквозь слезы. И думал: Наташка, милая моя Наташка, ты была права — не надо спешить... Я разберусь со своими сыновьями, что-то о них пойму... И в первую очередь благодаря тебе. Ведь именно из-за тебя, моя девочка, так взбеленилась Людмила, и, как следствие, я обрел вновь своих мальчишек...

Ответ от Юры пришел минут через пять. Он состоял из одного слова: «Супер!»

Они вновь встретились в Ясеневе. И вновь их накрыло цунами.

Едва очухавшись, он спросил:

— А ты в курсе, что моя жена подала на развод?

— Нет. Откуда? Но почему? Она что-то узнала?

— Видимо, догадалась. Но самое интересное, что она в качестве адвоката наняла... твоего мужа.

— Артура?

— А у тебя есть еще какой-то муж?

— Глеб, он мне не говорил... Он вообще никогда ничего не рассказывает о своих клиентах...

— Вот как? Молодец!

— Глеб, но откуда... И зачем?

— Это не ее идея. Она слишком глупа. Но там есть подружка, редкая дрянь... Она в свое время пыталась меня соблазнить, а когда обломалась, возненавидела меня.

— Глеб, и что же теперь будет? Она скажет Артуру... Зачем это?

— О, цель очень ясно просматривается. Она исподволь подведет твоего мужа к тому, что этот мерзавец Кузьмин изменяет ей с... женой адвоката. Адвокат как минимум взбесится и от всей души постарается ободрать соперника как липку.

— Боже, какая гадость...

— Да, но зато...

Он рассказал ей о разговоре с сыном.

— Вот это здорово!

— Знаешь, я никогда не отдыхал с ребятами без... нее. И мне очень нравится такая идея. Ленька сказал, что жил с закрытыми глазами... И я тоже так жил. Дома вроде бы все в порядке, ну и прекрасно, а все мои мысли занимала работа. И вдруг ты... Скажи, а ты... Ты могла бы принять в семью моего Леньку? Он золотой парень.

— Глеб, о чем ты говоришь! Конечно, он же часть тебя.

— Знаешь, она орала, что обдерет меня как липку, отпустит голеньким, и интересовалась, нужен ли я тебе буду голеньким?

Наташа улыбнулась сводящей его с ума улыбкой, прижалась к нему и прошептала на ухо:

— Голенький ты мне больше всего нравишься.

— Наташка! — простонал он. — Что ты со мной делаешь!

— Глеб, но откуда она узнала?

— Я думаю, просто сопоставила факты. Видимо, с твоим появлением на канале что-то во мне изменилось, и она своим звериным чутьем... Потом поделилась с подружкой, та навела какие-то справки, может, на канале кто-то что-то заметил. Но теперь уже все, Наташка, ты не отвертишься. Если Артур еще не знает, то скоро узнает...

— Он не отдаст мне Аську.

— Не факт!

— Ох, Глеб...

— А разве Аська не любит свою маму?

— Любит, конечно.

— А Артур, как я понял, безумно любит дочь?

— В том-то и дело!

— Но в таком случае он не захочет сделать дочь несчастной.

— Мужская логика! Аська любит отца и мать. И несчастной будет в любом случае.

— Но ты же не станешь препятствовать их общению.

— Конечно нет.

— Послушай, девочка моя, насколько я понимаю, твой муж хороший адвокат, а следовательно, он разумный человек. А с разумным человеком всегда можно договориться по-хорошему.

— Заключить мировое соглашение? — горько усмехнулась Наташа.

— Вот именно!

Артур позвонил Кириллу, старому надежному другу и очень умному человеку.

— Артурчик, что-то случилось?

— В общем, да. И нужен твой совет.

— Не вопрос. Встречаемся сегодня в восемь в «Бавариусе», попьем пива и поговорим. Приезжай без машины.

— Правильно мыслишь, сразу видно топ-менеджера!

...Они обнялись.

— Ты чего такой хмурый, брат? — спросил Кирилл.

— Есть причина.

— Рассказывай! Я надеюсь, никто тяжело не заболел?

— Нет. Это другое.

— Рассказывай!

— Понимаешь, приходит тут ко мне одна клиентка, жутко эффектная, интересная баба лет сорока...

— И ты ее трахнул?

— Да боже упаси! Нет... Кир, ты не перебивай, ладно? Мне и так трудно...

— Прости, прости, брат!

— Так вот, дама вся в брюликах, и сообщает мне, что намерена развестись с мужем. Ну, думаю, хочешь — получишь. Начал ее расспрашивать... И что оказалось? Это жена Глеба Кузьмина...

— А кто такой Глеб Кузьмин?

— Хозяин и генпродюсер канала «Супер».

— Это где Наталья подвизается?

— Именно!

— Откажись! Не надо этого.

— Думаешь?

— Да. Уверен.

Артур замялся.

— Есть еще один нюанс, — с трудом проговорил Артур, — дело в том, что у Наташки... с ним... роман.

— Ты точно эта знаешь?

— Свечку не держал. Но эта баба мне сказала открытым текстом.

— Вот лярва!

— Ты о ком?

— Ну уж точно не о Наташке! А чего, собственно, ты хотел? Ты отнюдь не верный муж... А у нас ведь равноправие! Ты хочешь тоже развестись?

— Ни за что!

— Правильно! Наташка лучшая из знакомых мне баб и жен. Умница, красавица, талантливая... Тебе сказочно повезло с женой, Артурчик. И проверь информацию. Эта баба могла и наврать, чтобы завести тебя, чтобы ты думал, будто борешься против мужика, соблазнившего твою жену. А она может ни сном, ни духом... Нет, брат, не вяжись с этой лярвой! Неприятностей не оберешься. Передай ее вежливо какому-нибудь более именитому коллеге. Причем бей ее ее же оружием.

— То есть?

— Скажи твердо, что адвокатская этика не позволяет тебе вести это дело, поскольку в нем замешана твоя жена. Все!

— Вот, Кирюха, я знал, что ты мне посоветуешь правильно. Так я и поступлю... А что касается Наташки... Похоже, есть у нее другой мужик... Есть!

— С чего ты взял?

— Она очень изменилась... в постели. Такая горячая стала...

— Тоже ничего не значит! Просто созрела. У меня так было с Ариной. Вроде все было неплохо, и вдруг... просто огонь! Дозрела, говорит. Во вкус вошла... Это у нас, мужиков, чем дальше, тем хуже, а у них наоборот... Поздно входят во вкус. А даже если твои подозрения небеспочвенны, давай опять-таки рассуждать здраво.

— Ну, давай!

— Тебе хуже стало от ее... температуры?

— Нет, конечно, что ж я, больной?

— Ты ей изменяешь?

— Бывает.

— Ты хочешь порушить семью, жениться на другой?

— Не хочу.

— Тогда проглоти. Сделай вид, что знать ничего не знаешь, будь милым, веселым... Я понимаю, неприятно, когда твоя баба спит с другим, просто даже паршиво...

— А особенно паршиво чувствовать, что не ты ее так разогрел... Просто выть охота!

— Она тебе дает? Дает. Не отговаривается головной болью? Нет. У вас хорошая семья, чудесная дочка, в койке вам хорошо, вы оба умные люди, прожили двенадцать лет... Так радуйся. И засунь себе в задницу все эти гадкие мысли. Просто радуйся тому что есть! А чтобы было полегче, трахни какую-нибудь молоденькую киску, но аккуратно, чтобы Наташка не знала. И все!

— А если там... любовь?

— Я тебя умоляю! Какая любовь, откуда? В наше время это... нонсенс! Если бы речь шла о какой-то другой бабе, не о Наташке, я бы мог предположить, что этого Кузьмина хотят забрать из-за его бабок. Но тут не тот случай!

— Да пожалуй...

— Короче, Артурчик, живи и радуйся! Твоя жена теперь телестар, и у вас все отлично! Давай за это выпьем!

Они выпили.

— Дебора Дмитриевна, разрешите?

— Да, Артур, заходи. Ты по делу?

— Да, Дебора Дмитриевна, я... Вы не могли бы взять одну мою клиентку. Я, по ряду сугубо личных причин, не смогу представлять ее интересы. А дело перспективное...

— Что за дело?

— Бракоразводный процесс с генпродюсером одного телеканала.

— Уж не того ли, где твоя жена работает?

— Именно! Согласитесь, мне как-то неловко было бы этим заниматься. Мало ли как там все обернется...

— Молодец! Правильно сообразил. А ты уже взялся?

— Пока мы еще ничего не оформляли.

— Хорошо. Но я должна с ней поговорить. Она как, очень скандальная?

— Полагаю, что не без этого.

— А почему ты сразу не отказался?

— Потому что дурак. Не сообразил.

— А Наталья в курсе?

— Нет. Я никогда не говорю дома о делах.

— Значит, это не она посоветовала тебе отказаться?

— Нет.

— Ну что ж, помогу, ты все-таки мой ученик, как не помочь.

Артур взглянул на часы.

— Она должна прийти с минуты на минуту.

— Хорошо. Приводи ее сразу ко мне. У меня сейчас есть время. Но еще не факт, что она согласится. Мало ли какие соображения у этой дамы.

— Ну что вы, Дебора Дмитриевна! У вас такое имя!

...Наташа терялась в догадках. Артур вел себя совершенно нормально, как будто ничего не случилось. А может и не случилось? Но если эта женщина, жена Глеба, обратилась к нему... Или он знает и просто скрывает, молчит? Ох, скорее бы уехать в Испанию, где не будет ни Артура, ни Глеба, может, там я скорее разберусь в своих чувствах? Да, мне надо, мне необходимо побыть вдали от Глеба, потому что когда он рядом, я просто схожу с ума... Может быть, это всего лишь страсть, а страсть, как известно, проходит быстро... А я все сломаю? Глеб уже сломал. Но там, похоже, и так все держалось на соплях... А у нас с Артуром в общем-то не так уж все плохо. Он мне изменяет, я тоже ему изменяю, баланс соблюден. А у нас дочь. Кто бы меня вразумил? Нет, тут надо самой решать...

Артур уехал в Юрмалу за Аськой. А Наташе позвонила Дебора Дмитриевна. Наташа удивилась.

— Да, Дебора Дмитриевна, добрый день. Артура нет, он за Аськой уехал.

— Я знаю. Но мне нужно с тобой поговорить. Есть важное дело. Могла бы ты завтра утром встретиться со мной, часов в десять? Попьем кофе и поговорим.

— Да, завтра в десять я смогу. Мне приехать к вам в офис?

— Нет. Я сама к тебе приеду. Примешь?

— Что за вопрос! Конечно.

У Наташи душа ушла в пятки. Что все это значит? Она хочет меня о чем-то предупредить? Но о чем? О том, что Артур спутался с кем-то? Или о том, что он ведет дело Глебовой жены? Но это по меньшей мере странно...

Всю ночь она ворочалась в постели и в результате с утра выглядела ужасно. А ведь сегодня нужно ехать на примерку...

Ровно в десять раздался звонок в дверь. На пороге стояла Дебора Дмитриевна с букетом маленьких красных розочек.

— Привет! Это тебе от поклонницы твоей программы.

— От какой поклонницы? — испуганно пробормотала Наташа.

— Мать, ты что, сдурела? От меня!

— Ох, простите, я совершенно не спала, голова дурная.

— Извини, я понимаю. Тебя взволновал мой предстоящий визит?

— Ну, в общем... да.

— Кофе дашь?

— Конечно. Ничего, что на кухне?

— Прекрасно, обожаю болтать на кухне. Я приехала к тебе поболтать по-бабски.

— Дебора Дмитриевна, вы часом не влюбились ли?

— Я — нет! А ты? — И она пристально взглянула на Наташу.

Та вспыхнула.

— Краснеешь. Я попала в точку. Что ж, дело житейское. Наташка, только не разрушай семью...

— Дебора Дмитриевна, я вообще ничего не понимаю. Вас что, Артур прислал?

— С ума сошла? Как это он меня может прислать? Нет, просто я должна во всем разобраться.

— Ничего не понимаю. Простите, но при чем тут вы?

— Вроде бы, ни при чем. Ладно, дело было так. Ко мне на днях явился Артур и попросил разрешения передать мне одну свою клиентку. Эта клиентка... жена твоего начальника, Глеба Кузьмина.

Наташа пошла пятнами. Значит, Артур отказался от ведения ее дела. А почему?

Дебора Дмитриевна не сводила с нее испытующего взгляда.

— Я согласилась. Эта дама тоже. Поговорив с ней, а она, должна заметить, препротивная особа, я поняла, почему Артур от нее отказался.

— Потому что... Кузьмин... мой начальник?

— Нет. Потому что Кузьмин твой любовник.

— Дебора Дмитриевна!

— Наташа, поверь, я бы не стала нарушать все правила адвокатской этики, если бы искренне не любила вас с Артуром. Пойми, я должна максимально защищать интересы своей клиентки, которая намерена вчистую разорить своего мужа.

— Но я... причем тут я?

— А при том, что мадам Кузьмина установила за мужем слежку, его засекли в каком-то более чем странном виде на разбитых «жигулях» в Ясеневе, а потом туда приехала одна известная телеведущая... Факт прелюбодеяния был установлен.

— Боже, но как?

— Элементарно! В съемную квартиру проникли и установили камеру.

Наташу вдруг начал бить озноб. На улице было по-летнему жарко, а ее как будто окунули в ледяную воду.

— Наташка, прости, но я просто хотела предупредить... Вам нельзя там больше появляться.

— Да. Спасибо, но... Артур это видел?

— Нет. Дамочка придержала пока... она рассчитывала показать ему это позже, когда он вовлечется в процесс. Но он передал дело мне. И тут уж она, видно, с досады, решила сразу открыть все карты.

— Но что же делать... А это может всплыть на суде?

— Разумеется. Наша задача не довести до суда. И я очень советую тебе предупредить Кузьмина о том, что есть такие видеоматериалы.

— Но я ведь тогда подставлю вас...

— Нет, если сделать это с умом. Пусть он найдет хорошего адвоката, его адвокат свяжется со мной и мы вдвоем попытаемся решить дело миром. Скажи, он очень горячий тип?

— Что?

— Прости, я неудачно выразилась. Его от гнева не покинет самообладание? Он не бросится убивать ее, или...

— Я не знаю... Простите, я... мне что-то холодно... Я возьму шаль.

— Помилуй, на улице жара... Это у тебя нервное. Наташка, ты его любишь?

— Кого?

— Кузьмина?

— Кажется, да.

— Тогда посоветуй ему отдать этой пиранье все, что возможно. Чтобы покончить дело миром. Нельзя доводить до суда. При этом она дура, и вдвоем с хорошим его адвокатом мы ее обломаем. Ты меня поняла?

— Вы... Вы видели... эту съемку?

— Только самое начало, как вы целуетесь в прихожей. Я должна была убедиться в том, что это действительно ты.

— Что же делать? Это конец всему. Всей жизни.

— Кузьмин жесткий человек?

— Думаю, да. Иначе он вряд ли добился бы...

— И я полагаю, достаточно хорошо знает свою жену.

— Да вот, похоже, что нет.

— Да, в самом деле. Она кстати очень красивая и эффектная баба. И я голову дам на отсечение, у нее есть любовник или любовники...

— И что из этого?

У Наташи зуб на зуб не попадал.

— Дебора Дмитриевна, вы ей что-то обещали?

— А как же! Защиту ее интересов. Но я предупредила, что постараюсь кончить дело миром.

— А она рвется в суд?

— Да нет. Она рвется получить с него максимум. И люто ненавидит тебя.

— Но почему? Между ними давно уже ничего нет. По крайней мере, он так говорит...

— Она тоже так говорит. Думаю, она неплохо его знает и почуяла, что ты опасна для нее. Что он любит тебя... Он ведь тебя любит?

— Откуда я знаю? — стуча зубами проговорила Наташа.

— Послушай, тебе надо выпить коньяку!

— Не могу. Я за рулем, у меня куча дел...

— Возьми такси!

— Да, наверное, вы правы.

Наташа достала из буфета коньяк.

— А вы, Дебора Дмитриевна?

— Нет, с утра не пью. Вот что, Наташка, будешь говорить с Кузьминым, не называй имени своего осведомителя, а то мало ли, в пылу скандала как бы не ляпнул...

— Да, конечно, хотя он никогда ничего не ляпает.

— Позвони ему. Сию минуту. Время дорого.

Наташа послушно достала мобильник. Она никогда сама не звонила Глебу. Он откликнулся мгновенно:

— Девочка, что-то случилось?

— Да. Глеб, мне очень-очень надо с тобой поговорить. Не по телефону.

— Прекрасно. Тогда, может, в Ясеневе?

— Нет. Там нельзя.

— Почему?

— Там... камеры стоят.

— Что? Я не ослышался?

— Нет.

— Хорошо. Можешь сейчас приехать ко мне в офис?

— Да. Могу. Это лучше всего.

Наташа вышла вместе с Деборой Дмитриевной. Поймала машину, назвала адрес. Закрыла глаза. Боже, какие-то чужие люди смотрели, как мы с Глебом... Они ржали, похабно и гнусно, отпускали сальные шуточки... комментировали каждое движение, каждое слово... Непереносимо! А если это попадет в Интернет?

— Приехали, дамочка!

Наташа взбежала на второй этаж. Нос к носу столкнулась с секретаршей Жанной.

— Наталья Алексеевна, у Глеба Витальевича сейчас посетитель, он просил немного обождать. Ой, а что с вами, вам плохо? Вы заболели?

— Да, что-то с сосудами... знобит.

— Хотите горячего чаю?

— Нет, спасибо, может быть, потом.

В этот момент из кабинета вышел Глеб с каким-то мужчиной.

— Я тебе позвоню, как только, так сразу.

Мужчина кивнул и ушел, бросив на Наташу любопытный взгляд.

— Наташа, заходите!

Едва дверь за ними закрылась, Глеб схватил ее в объятия.

— Наташка, что с тобой? Откуда такая информация?

— Это неважно. Важно то, что в руках твоей жены пленка с записью нашего свидания... Дело нельзя довести до суда, надо добиться мирового соглашения любой ценой!

— Погоди, что с тобой? Ты почему так дрожишь?

— Мне холодно, мне ужасно холодно, Глеб. Никак не могу согреться... Но дело не в этом. У тебя есть хороший адвокат?

— Эти сведения от твоего мужа?

— Нет. Он еще не знает. Он отказался от этого дела...

— Почему?

— По этическим соображениям. И передал это Деборе Дмитриевне Новак.

— О, она знаменитый адвокат.

— Да. Артур ее ученик.

— Она взяла дело?

— Да.

— Это она тебя предупредила?

— Глеб!

— Спасибо. Передай ей от меня большое спасибо! Да не дрожи ты так! Я отдам ей больше, чем положено по закону. Пусть подавится. Только не дрожи... Я уже связался со своим адвокатом. Уверяю тебя, мы кончим дело миром.

— Глеб, а если... если она будет недовольна и выложит все это в Интернет?

— О, тогда она огребет уголовную статью за причинение нравственных страданий путем использования чужого изображения.

— Но она может не знать о существовании такой статьи.

— Дурочка моя, неужто ты думаешь, что Новак, которая предупредила тебя, не предупредит ее? Наивно! Но какая хорошая тетка, эта Новак! Она, видимо, очень тебя любит. Что, впрочем, меня не удивляет.

И он стал нежно и осторожно ее целовать.

— Не бойся, все будет хорошо, вот увидишь... Только скажи, ты меня любишь?

— Глеб, я уже ничего не понимаю. Я так устала.

— Да. Ты права. Но ты ведь скоро уедешь с дочкой отдыхать. Вот и хорошо. А я повезу к морю своих мальчишек. Ты отдохнешь от меня, приведешь в порядок свои мысли и чувства... Ты на машине?

— Нет.

— Слава богу. Я дам тебе машину с водителем на целый день. По крайней мере, буду спокоен за тебя.

— Спасибо, Глеб, — уже еле слышно пробормотала Наташа. — Я пойду...

— Я так удивился, увидев твой звонок, так обрадовался... Хотя я считаю, что все к лучшему...

Какие мужики толстокожие! Он считает, что все к лучшему. А я не могу отделаться от мысли о чужих людях, видевших эту запись. Я, наверное, уже никогда не смогу с ним спать...

...В самолете Аську с Борей, сыном Тани Алешиной, посадили рядом, а мамы сели позади них. Дети мгновенно нашли общий язык.

— Поверь мне, Наташ, Борька в восторге от твоей дочки. Уж я его знаю.

— Это хорошо, по крайней мере, этой проблемы у нас не будет.

— А у нас вообще не должно быть проблем! Я заказала трансфер, нас в Барселоне встретят, отвезут на место, а завтра пригонят машину по нашему адресу. Какие проблемы, о чем ты! Отдыхать надо без проблем!

— Ох, Таня, как мне повезло. Ты обо всем подумала.

— Потому что привыкла не полагаться на мужиков. А ты замужняя дама, и все организовывает муж, так?

— Более или менее.

— Наташ, у тебя что-то плохое случилось?

— Случилось, но уже прошло, и говорить не стоит.

— Дело хозяйское. Но если приспичит душу излить, знай — я могила!

— Спасибо, учту.

Только когда Наташа увидела Аську, она перестала дрожать. Артур, сдав дочку на руки жене, умчался на работу, и до отъезда они почти не виделись. Он даже с трудом выкроил время, чтобы отвезти жену и дочь в аэропорт.

Вскоре Таня задремала. А Наташе не спалось. Наверное, думала она, мой роман с Глебом закончился. Ну и пусть. Мне это не под силу. Артур неплохой муж, хороший человек... У нас дочь. Это было цунами, и остались обломки... Но из обломков тоже можно соорудить если не дом, то хотя бы плот, и доплыть на плоту до... тихой гавани. Вырастить спокойно дочь. И, наверное, надо уйти с канала. Мне буквально вчера поступило предложение перейти на ТВЦ. Я сказала, что должна все обдумать... А что тут думать? Надо уходить. Глеб обидится. А, впрочем, у него теперь будет много забот помимо канала. Его налаженный дом тоже рухнул. С ним теперь будет младший сын. Все правильно, наступает штиль... Интересно, я смогу без него? А он без меня? Он-то сможет... И я, скорее всего, смогу. Или нет? Как бы там ни было, а я должна, просто обязана смочь... Да, недолго музыка играла, недолго фраер танцевал. Полтора месяца всего лишь. И вдруг такая тоска по Глебу на нее навалилась, что она чуть не взвыла. Она так явственно увидела его серые глаза с какими-то неправдоподобно красивыми, обведенными темной каймой зрачками. Какое тепло излучают эти глаза... А какие у него руки! Сильные, мужицкие и в то же время изящные... Запах его кожи... Как жить без всего этого? Она даже застонала. Таня проснулась.

— Наташ, ты чего? Что-то болит?

— Болит. Душа.

— Вот те здрасьте! Любовь нешто?

— Любовь, — тяжело вздохнула Наташа.

— Безответная?

— Нет. Но... бывшая... прошедшая...

— Ты разлюбила? Хотя нет, тогда бы душа не болела. Тебя разлюбили?

— Тоже нет.

— А, поняла. Он женат?

— Уже нет.

— Так в чем проблема? Скажи, легче станет.

— Понимаешь, нашу любовь в такой грязи изваляли...

— То есть?

— Выследили. Камеру установили...

— Жена?

— Да.

— Фу!

— Конечно, фу, но... что сделано, то сделано.

— Это попало в сети?

— Пока нет. Но где гарантии? А главное, я не могу отделаться от мысли, что... самое интимное, самое...

— Смотрели и, возможно, комментировали чужие люди, да?

— Да. Это меня просто убивает. И меня и нашу любовь.

— А он?

— Он сказал, что это, возможно, к лучшему...

— А что ты хочешь? Мужик. Между прочим, я с мужем из-за этого рассталась. Есть вещи, которые нас, женщин, глубоко ранят, а они считают, что все это капризы и притворство.

Наташу вдруг опять начал бить озноб.

— Что с тобой? — перепугалась Таня.

— Не знаю. Это началось, когда я узнала про камеры. Потом прошло.

— Нервы гуляют. Все, эту тему мы закрыли. А что там наши дети? Смотри-ка, задрыхли! Вот молодцы. Наташ, а ты бывала в Барселоне?

— Да. А ты?

— И я. Сказочный город. А мы, кстати, будем жить совсем недалеко от Реуса. Это городок, где родился Гауди. Там я не была. А ты?

— Тоже не была. Значит съездим.

— Конечно!

Домик оказался очаровательным. Он стоял, что называется, на второй линии, в маленьком саду, и в этом домике было все, что нужно для комфортной жизни. Четыре спальни, гостиная, терраса и восхитительная кухня.

— Какая прелесть! — воскликнула Наташа. — Знаешь, я даже готова тут... готовить! Хотя вообще-то на отдыхе этого не люблю.

— Ну, тут же нет необходимости готовить каждый день по три раза. Один день ты, другой я, а на третий в ресторан. А еще лучше будем готовить вместе. Быстрее и веселее, без всяких дежурств и обязаловок!

— Таня, ты идеальная спутница!

— А то!

Дети рвались на море.

— Мама, пойдем, а то поздно будет! — кричали оба.

Женщины достали купальные принадлежности и почти бегом бросились к морю.

— О, вот теперь я понимаю, почему это место называется Коста-Дорадо, — воскликнула Таня.

— А что такое Коста-Дорадо? — спросила Аська.

— Золотой берег! — ответил Боря. — Видишь, на дне песок кажется золотым, но это от солнца, да, мама?

— Конечно. Кстати, нигде такого эффекта не видела. Ах, хорошо! Наташка, вода такая теплая! Ася, ты умеешь плавать?

— Еще как!

И все четверо бросились в воду.

В воде Наташа сразу перестала дрожать. Как хорошо здесь. А какое тут небо! Высокое, светлое... И тепло... Это такое блаженство, когда тебе тепло. И Таня такая милая, умная. С ней легко. И дети подружились. Неужели я пробуду здесь целых три недели? Без мужа, без любовника, без всех этих кошмаров... Надо только научиться не думать о Глебе. Постараться его забыть. А когда вернусь, уйти с канала. И тогда... Тогда, наверное, моя жизнь как-то образуется. Ведь если Артур промолчал, значит он решил, что менять ничего не хочет. Он, видимо, понимает, что мы квиты... Ну и прекрасно. Так и будем жить. Без всяких цунами. В московском, резко континентальном климате какие могут быть цунами? Абсурд!

Ужинали в маленьком рыбном ресторанчике.

— Паэлью любишь? — листая меню, спросила Таня.

— Терпеть не могу!

— Я, признаться, тоже. А Борька обожает. О, я буду жареного сибаса.

— Я тоже. Ась, а ты что хочешь?

— А что такое паэлья?

— Это рис с морскими гадами! — сообщил Боря.

— Как с гадами? — испугалась девочка.

— Ну, там мидии, ракушки, осьминожки...

— Ни за что! А просто нормальной рыбы тут нет? Или креветок?

— Креветки есть.

— Тогда мне побольше креветок!

— А креветки это тоже считается морские гады, — снисходительно сообщил Боря.

— Сам ты гад! — рассердилась Аська. — Мама, я хочу колу!

— Это очень вредно! — заметил Боря.

— А мне плевать! Зато вкусно! Мне дядя Сережа в Юрмале покупал, правда, бабушке не велел говорить.

— Значит, ты не умеешь хранить тайны! — сделал вывод Боря.

— Это не тайна, а секрет!

— Одно и то же!

— Нет, это разные вещи, правда, мама?

— Вопрос спорный, но и то, и другое надо хранить свято. И не вздумай проболтаться папе, что я тебе колу давала. Вот и будет проверка, умеешь ты хранить секреты или нет.

Девочка надулась.

— А мы с тобой имеем право выпить по бокальчику вина, — сказала Таня.

— Это тоже тайна? — поинтересовалась Ася.

— Нет. Об этом можешь рассказывать всем. И никому интересно не будет, — засмеялась Таня.

— Почему?

— А какой интерес в том, что две взрослые тетки на отдыхе выпили за ужином по бокальчику сухого вина?

— Если по бокальчику и не каждый день, никакого, — согласился Боря, — а вот если каждый день и по два, вас уже можно будет обвинить в алкоголизме.

Женщины покатились со смеху.

— Видала мерзавца? — радовалась Таня.

— А называть сына мерзавцем хорошо?

— Тетя Таня, он у вас не мерзавец, он просто зануда!

Но тут принесли заказанную еду. Паэлья, надо сказать, выглядела весьма аппетитно.

— Тань, а может, как-нибудь стоит тут ее попробовать?

— Можно, — без особенной уверенности ответила Таня.

— Я вам пробовать не дам! — заявил Боря. — Я все равно уже мерзавец!

— Не волнуйся, мы в следующий раз закажем одну порцию на пробу! И все втроем попробуем, правда, Ася?

— Асе я как раз дам попробовать сейчас! Хочешь?

Девочка кивнула.

— Бери, пробуй!

— Нет, мне не хочется. А хочешь креветку?

— Хочу!

Ася положила ему в тарелку две креветки. Мир был восстановлен.

Потянулись дивные курортные дни. Было жарко, но у моря жара переносилась легче. Никто от нее не страдал. Приходилось только следить, чтобы дети не обгорели. Жили дружно и весело.

На пятый день после купания Наташа вдруг почувствовала себя плохо. Ее рвало.

— А ты, часом, не залетела, подруга?

— Совершенно точно нет. Видимо, что-то съела.

— А хотела бы еще ребенка?

— В моей сегодняшней ситуации — нет.

— Понимаю. А я бы не прочь. Видишь, как Борьке нужна младшая сестренка.

Сегодня они собирались ехать в Реус.

— Езжайте без меня, а я полежу, может к вечеру и оклемаюсь.

Они уехали, а она легла в постель и мгновенно уснула. А к вечеру проснулась здоровая. Что это было? А тут и дети с Таней вернулись.

— Как ты, подруга? — заглянула к ней Таня.

— Все прошло. А вы как?

— Мы — здорово! Наташ, ты даже не представляешь, кого я встретила в Реусе!

— И кого же?

— Кузьмина.

— Какого Кузьмина? — смертельно побледнела Наташа.

— Что значит какого? Глеба Витальевича с сыновьями. Такие парни... Эй, Наташа, что с тобой?

— А что... что он тут делает?

— То же, что и все нормальные люди. Отдыхает. С генпродюсерами это тоже случается. Кстати, спрашивал о тебе. И пригласил нас всех завтра к себе на обед. Обещал какие-то невероятные шашлыки. А его парни взяли наших малявок под опеку. Старший обещал научить их на сёрфе кататься.

Наташа сидела, закрыв лицо руками. Она была в полном смятении.

— Эй, подруга, ты чего? Стоп! Слушай, а это не Кузьмин случайно герой твоего романа?

Наташа молчала. Таня подошла к ней и отняла ее руки от лица.

— Ни фига себе! А что, он клевый! И у него такие ноги... Загляденье!

— Что?

— Я никогда его не видела в шортах. Ему идет.

Тут в комнату ворвалась Аська.

— Мама! Мама! Мы твоего босса встретили. Он такой хороший! И у него сыновья... Юра и Леня... И мы завтра идем к ним в гости! Я обожаю шашлык!

— Ася! — позвал ее Боря, и она умчалась.

— И давно это у вас?

— Нет, совсем недавно. Только, Танечка...

— Да все я понимаю и хорошо умею держать язык за зубами. А где вы встречались-то?

— Он снял квартиру в Ясеневе. И приезжал туда на стареньких «жигулях» и в таком виде... Сам про себя говорил: «Чмо на шестерке цвета баклажан».

— Значит, про вас нельзя сказать, что он пропихнул на телевидение свою любовницу?

— Нет, нельзя.

— А где он тебя нарыл?

Наташа рассказала. Ей хотелось говорить об этом.

— Ну, он явно сразу на тебя запал.

— Говорит, что да.

— А ты?

— А я ни сном ни духом. То есть я чувствовала, что он ко мне... хорошо относится, но... И никогда о нем в этом качестве не думала. Я его иногда по нескольку месяцев вообще не видела. А потом повезла Аську к маме в Юрмалу... Я там люблю рано утром по морю шлепать. И вдруг иду себе, о чем-то думаю... И вижу далеко впереди мне навстречу тоже кто-то бредет по воде. Пригляделась... Показалось, что это Кузьмин, но я глазам своим не поверила. И вдруг он побежал мне навстречу, вот тут у меня крышу и сорвало. Я тоже бросилась бежать к нему, и он сразу меня схватил и стал целовать... И все... Цунами...

— Обалдеть, как красиво! Он тебя замуж звал?

— Звал. Но я... я боюсь. Дети же... Артур обожает Аську, и она его.

— Да, она все твердит, какой у нее папа...

— Интересно, а как его женушка пронюхала?

— Я думаю, она сразу что-то заподозрила и пустила за ним слежку. Тань, а ты в Москве ему не говорила, куда ты едешь отдыхать?

— Нет. У меня с ним сугубо рабочие отношения.

— А кому-нибудь вообще на канале говорила?

— Не помню, но вполне могла сказать, это же не тайна... Да, кстати, ты всегда можешь слинять с ним на часок-другой, я прикрою.

— А ты не знаешь, где они живут?

— Как не знать, в двух шагах от нас, только на первой линии. И сад побольше раза в два. А вот интересно, если бы мы в Реусе не встретились, как бы он действовал?

— А может это просто случайность?

— Ты веришь в такие случайности?

— Ну, вообще-то все бывает?

— Не придуривайся, Наташка!

Утром все отправились на пляж. Наташа со страхом озиралась, боялась встретить Кузьмина на людях. Но его не было видно. И вскоре она расслабилась. Аська с Борей играли в бадминтон. Таня сегодня не купалась, и Наташа одна пошла в воду. Заплыла далеко, а когда повернула к берегу, увидела, что возле Тани стоят двое мужчин. Но никто из них не напоминал Кузьмина. И тут она увидела скачущую по берегу Аську, которая махала ей руками и что-то кричала. Наташа поплыла быстрее.

— Мама! Мама! Там пришли Юра с Леней! Они хотят нас научить на сёрфах... Но им нужно, чтобы ты разрешила! Мамочка, ты разрешишь ведь, правда? Идем скорее!

Аська вся дрожала от нетерпения.

Наташа тяжело вздохнула.

— Вот, это моя мама!

Парни обернулись. Оба были хороши. Не красавцы, но с очень приятными лицами... И отлично сложены. Младший еще по-юношески тонкий, а старший уже мужичок. И он окинул Наташу вполне мужским взглядом, но тут же широко улыбнулся.

— Здравствуйте, Наталья Алексеевна, — сказал он. — Вы позволите нам учить Асю?

— Пожалуй, запрещать бессмысленно, — улыбнулась она. — Тем более у нас на глазах...

— Ура! — победно вскинула руку Аська.

И Боря тоже подпрыгнул от радости.

— А где же ваши сёрфы?

— А вон лежат!

— Только не очень долго!

— Вы знаете, надо бы ребят кремом намазать от загара, а то на воде вмиг сгорят, — чуть смущенно заметил Леня.

— Молодец! — воскликнула Таня. — А я и не сообразила.

Наконец, ребята убежали.

— А папаша поехал за мясом для шашлыка, — сообщила Таня. — Скажи, какие славные парни?

— Да. Странно, у такой мамаши...

— Значит, папины гены пересилили. А посмотри, Аська-то, от горшка два вершка, а сколько кокетства. Одна с тремя кавалерами... Ох, вырастет, даст жару...

— Про меня маленькую тоже так говорили...

— И что? Ты жару не давала?

— Нет. Я замуж в восемнадцать лет вышла. Девушкой. И до Глеба...

— Хочешь сказать, что Кузьмин у тебя второй мужчина в жизни?

— Именно.

— Наташ, как это возможно? Ты же такая интересная женщина...

— Понимаешь, претенденты были, и не так мало, но никто не нравился до такой степени, чтобы...

— Понятно. А я сразу после школы выскочила замуж за свою первую любовь. Прожили два года и разбежались. Эти юношеские браки... такая гадость. И я подалась в Москву, я же из Самары. Поступила в педагогический и подрабатывала репортером на радио. Весело жила. Потом пошла на телевидение. Сперва только бумажки подшивала да за пивом бегала. Но постепенно стала себя проявлять, меня заметили. А потом влюбилась как бешеная в одного... Все забыла. И родился Борька. А папаше приспичило в Европу ехать. Я отпустила. Он и слинял благополучно. Спасибо, мама на первых порах Борькой занималась, а у меня вдруг карьера поперла... стала шеф-редактором, а однажды Проваторов заболел, и я его в эфире заменила. Продюсеры обрадовались, свежее лицо, бойкий язычок... Ну, подсиживали меня... Но я плевать хотела.

— А Борькин отец как-то проявляется?

— Нет. Говорю же, сгинул.

— А у тебя кто-то есть?

— Есть. Но это не любовь. У нас замечательные ровные отношения. Но крыша у обоих на месте. И знаешь, меня это устраивает.

— Он женат?

— Да. И слава богу. Мне муж без надобности. У меня мама с папой, я их в Москву перетащила. Папа нашел в Москве прекрасную работу, он у меня замечательный врач-офтальмолог. Хорошо зарабатывает, а мама с Борькой.

— Они с тобой живут?

— Да. А как иначе? Мы сменяли мою двушку-малютку и их роскошную трехкомнатную в Самаре на вполне приличную трешку и живем...

— И ты сейчас никого не любишь?

— Слава богу, нет! И не смотри на меня с такой жалостью! От этой любви одна морока. Ты вот сейчас небось думаешь, ой, а как я с ним сегодня встречусь на глазах у всех. Так ведь?

— Так, Танечка, так.

— И что тебе надеть?

— А как же!

— Ох, Наташка, знаешь, я еще удивлялась, когда Кузьмин про тебя спросил, у него лицо какое-то странное было...

— Чем странное?

— Я тогда не поняла, я теперь понимаю — он боялся выдать свои чувства...

Глеб Витальевич колдовал над бараниной и думал: как мне сдержать себя, не броситься к ней на глазах у изумленной публики? Я так завидую своим мальчишкам... Они сейчас скорее всего видят ее, но их это не повергает в такое смятение, что начинают дрожать руки. Интересно, она им понравится? Это было бы так здорово... Это же важно, чтобы они нашли с ней общий язык. Ему даже в голову не приходило, что Наташа может не стать его женой. Дочка у нее очаровательная, и я, кажется, вчера сумел ее расположить к себе. И это даже хорошо, что вчера Наташи с ними не было.

В час вернулись мальчишки.

— Папа, помощь нужна? — предложил Юрка.

— Пап, я пойду, поиграю? — спросил Ленька.

— Иди, играй. Юр, а ты мне помоги, накрой на стол.

— Нет, я лучше огонь разведу, пора уже...

— Нет еще, я угли готовые купил. Успеется. А ты загорел.

— Папа, а эта женщина...

— Какая женщина?

— Мама Аськи...

— Что с ней?

— Ничего. Просто приятная и очень привлекательная...

Волна идиотской ревности захлестнула Кузьмина.

— Да она тебе в матери годится.

— Дааа? — как-то тонко усмехнулся Юра. — Пап, ты чего это покраснел? Слушай, а это не из-за нее, случайно, все эти семейные передряги у нас, а?

— Не говори ерунды, — пробормотал Глеб Витальевич, отвернувшись от сына.

— Ага, теперь многое становится понятным. Пап, ты не парься, я все равно живу отдельно, Ленька вообще телок, ему лишь бы клавиши под руками были... Она вполне клевая. Совершенно не похожа на мать и ее подружек. Знаешь, я иногда думал, глядя на вас с матерью... Что вас могло свести и как вы вместе живете...

— Между прочим, твоя мать очень красивая женщина...

— И только-то?

— В молодости это очень важно. Сам, что ли, не понимаешь?

— Просто мне такой тип женщин противопоказан.

— Она такой не была. Она была вполне нормальной девчонкой, которая вышла замуж за вполне бедного парня. А вот когда я раскрутился, пошли деньги, да еще и окружение соответствующее...

— Папа, в вашем окружении все-таки не одни глупые гламурные стервы были. Вот, к примеру, жена Валентина Сергеича... Или Маша Темникова... Да их не так уж мало. Просто, видимо, мадам Кузьмина неверно выбирает курс...

И вдруг до Глеба Витальевича дошло — а ведь Юрка уже давно не называет мать мамой, уже несколько лет зовет ее как бы в шутку «мадам Кузьмина»... Он совсем не любит мать? Но почему? Мне всегда казалось, что Людмила хорошая мать. Черт знает что, я со своей работой все проворонил, чудо еще, что парни такие выросли...

— Юра, а вот скажи мне, коль скоро уж у нас пошел откровенный разговор. Ты... совсем мать не любишь?

— С добрым утром, папочка! — засмеялся Юрка. — Только проснулся? Да, папа, не люблю. Причем уже давно, лет с одиннадцати...

— Но почему? Мне казалось...

— Понимаю, тебе даже перекреститься некогда было. Говорят же, когда кажется, креститься надо.

— Боже мой... И все-таки, почему?

— Это сложно, папа. Понимаешь, я... Ты редко появлялся дома, но даже в эти редкие часы, а иногда минуты, я знал и чувствовал, что ты меня любишь, что я тебе все-таки нужен, и с тобой мне всегда было тепло, а с мадам Кузьминой...

— Юр, ты несправедлив! Возможно, она...

— Папа, ты меня спросил. А я ответил. Ответил совершенно честно и откровенно.

— Ты ревновал ее к Леньке?

— Нет. Нисколько. Я Леньку люблю. И тебя люблю. А ее — нет!

— А ты вот сказал, что это лет с одиннадцати. Что-то тогда произошло?

— Произошло. Но... я не хочу вспоминать.

— Юра, пойми, мне важно это знать!

— Хорошо, я скажу. Я тем летом поехал к Ваське Трегубову в гости за город. На несколько дней. Тебя тогда в Москве не было. Я с Васькой поссорился и вернулся домой на электричке. И как в анекдоте, только не муж из командировки, а сын с чужой дачи... Этого довольно?

— Но... может ты что-то не так понял?

— Пап, но я же не дебил. Я их застал в самый разгар... Меня рвало в буквальном смысле слова... даже температура поднялась.

— А она что?

— Папа, я не хочу об этом вспоминать.

— Значит, ты поэтому просил отправить тебя в Англию учиться?

— Конечно.

— Боже мой, какие бездны мне открываются... Но почему ты мне не сказал?

— Я не мог. Я вообще не мог об этом ни говорить, ни думать... А она смотрела на меня со страхом, она меня стала бояться и, как следствие, ненавидеть... Скажи, папа, а Наталья Алексеевна... У нее есть муж?

— Ох, Юрка, есть, но, поверь, это совершенно иной случай.

— Это любовь?

— Да, сын. Это любовь. Все очень серьезно. И сложно. Очень сложно.

Глеб Витальевич подошел к сыну, обнял, тот не отстранился. Поцеловал отца в щеку.

— Папочка, я очень тебя люблю, очень.

— И я тебя люблю. И прости ты меня...

— А тебя за что прощать?

— Наверное, есть за что. Прости за все чохом.

— Как в Прощеное воскресенье?

— Ага, как в Прощеное воскресенье.

— Ну, тогда и ты меня прости! Пап, а ты... ты не хочешь узнать, с кем я тогда ее застал?

— Ну, судя по твоему вопросу, мне лучше этого не знать? И потом, мне уже абсолютно все равно.

— Я всегда знал, что ты... настоящий мужик, папа!

Они долго стояли обнявшись. И такая радость снизошла на обоих, что оба звонко рассмеялись и подмигнули друг другу.

— Юрка, разжигай угли! А я накрою на стол! Я же бывший официант! Да, а скажи-ка ты мне, у тебя есть постоянная девушка?

— Есть. Ее тоже зовут Наташа.

Глеб Витальевич рассмеялся.

— Русская?

— Да.

— Есть какие-то планы?

— Нет, папа, если ты о женитьбе, то нет. Она из Израиля, учится в Англии, хочет быть врачом.

— А где она сейчас?

— В Израиле, у родственников.

— Но там же сейчас пекло! Пригласи ее сюда. Дом большой... Будет весело. Она веселая?

— Она такая прикольная, папа! — возликовал Юра.

— Позвони ей прямо сейчас!

— Папа, ты это серьезно?

— Абсолютно! Скажи, что оплатишь ей билет.

Юра убежал в дом и вскоре вернулся сияющий.

— Папа, она послезавтра прилетит!

— Вот и отлично! Устроим праздник в честь ее приезда!

— И позовем вторую Наташу?

— Первую. Это твоя Наташа вторая.

— Согласен! — рассмеялся Юра.

— И еще. Знаешь, Юрка, ты не говори Леньке про нас с моей Наташей, ладно?

— Почему?

— Мне кажется, он еще маленький... может как-то не так себя повести...

— Ладно, я умею молчать, как ты сегодня убедился. Но только Ленька очень чуткий, он еще раньше меня догадался.

— Как это?

— А мы когда с пляжа шли, он мне сказал: «Братик, по-моему у папы с Аськиной мамой роман». Я спросил, с чего он взял, а он пожал плечами и говорит: «Мне так кажется». И все.

— Ох, какие вы у меня выросли чуткие, тонкие...

— Явно не в мадам Кузьмину.

— Не скажи. Она тоже чуткая. Сразу что-то почуяла, когда мы еще ни сном ни духом... Слежку за мной пустила...

— Это вполне в ее духе. Ничего нового я не узнал. И я очень благодарен твоей Наташа номер раз. Из-за нее произошел взрыв и родилась сверхновая звезда...

— И как она называется?

— Кузьмин и сыновья.

— Тань, как ты думаешь, ничего если я надену это платье?

— Наташ, тебе жарко в нем будет. И вообще... Оно не для шашлыков. Надень лучше шорты.

— Не хочу!

— Тогда надень сарафан с ромашками, он тебе очень идет. В конце концов мы скорее всего будем сидеть в саду...

— Да, наверное...

Сарафан был с длинной юбкой, светло-зеленый с ромашками и маками.

— Вот, то что надо! Он тебя в этом видел?

— Нет.

— Впечатлится, я уверена.

— Мама, — заглянула в комнату Аська, — мы скоро в гости пойдем?

— Через десять минут. О, ты тоже переоделась? Умница. Ой, Танечка, а что же, с пустыми руками пойдем? — испугалась вдруг Наташа.

— Не ссы, подруга! Я купила коробку роскошного печенья.

— Когда ты успела?

— Пока ты тут предавалась рефлексии. Нельзя же идти в гости к начальству с пустыми руками. Я прямо в Реусе, как получила приглашение, зашла в кафе и купила большую коробку.

Когда они подходили к дому Кузьмина, сердце у Наташи, казалось, вот-вот разорвется.

— Как вкусно пахнет! — заметил Боря.

И тут калитка открылась.

— Дорогие гости, добро пожаловать! — приветствовал их Кузьмин.

— Начальству наше почтение! — воскликнула Таня.

— Танечка, прошу вас, здесь я вам не начальник, а просто добрый приятель. И впредь тоже буду для вас добрым приятелем вне канала.

— Могли бы не объяснять, — усмехнулась Таня. — Дети, вы куда? — она поспешила за детьми в глубь сада, чтобы оставить Наташу наедине с Кузьминым.

— Наташка... Как я счастлив тебя видеть! А какое платье! Я смертельно соскучился. Я уже не умею без тебя существовать.

— Глеб, ты знал, где я собираюсь отдыхать?

— Конечно. И так удачно все получилось. Как тогда, в Юрмале. Я ломал голову, как мне к тебе подъехать, а ты просто побежала... И тут, я все думал, как обставить встречу, и вдруг смотрю — Татьяна с детьми. Твоя Ася красотка...

— А мне страшно понравились твои ребята...

— Они все про нас поняли.

— И что?

— Ты им очень понравилась. Я, когда будет возможность, расскажу тебе про них... Это, с одной стороны, грустная история, а с другой, весьма оптимистическая... — Он как-то воровато огляделся и на мгновение изо всех сил прижал Наташу к себе.

— Глеб!

— Скажи, ты сможешь завтра оставить Аську с Таней?

— Смогу, наверное.

— Поедем в Камбрил, я присмотрел там одну крохотную гостиничку, снял на завтра номер... Я просто умру, если ты не поедешь со мной. Цунами...

— Глеб, идем, это уже неприлично.

— Да, в самом деле!

— Дядя Глеб, — возник откуда ни возьмись Боря, — вас Юра зовет.

— Бегу!

А у него и в самом деле очень красивые ноги, — как-то отстраненно подумала Наташа.

Шашлыки оказались просто великолепными. Вопреки ожиданию Наташа чувствовала себя прекрасно в этой компании. Все без исключения наслаждались вкусной едой, общей веселой беседой. Глеб сидел напротив нее, и, когда их глаза встречались, она читала в них такую любовь, что ей хотелось взлететь... За столом Аське с Борей налили чуть-чуть чудного местного вина, чем они страшно гордились.

— Друзья мои, послезавтра мы все с самого утра едем в Барселону. Там мы совершим экскурсию по городу, потом искупаемся, пообедаем и поедем в аэропорт встречать одну девушку по имени Наташа, это подруга Юры из Израиля, она будет отдыхать с нами. Мы же примем ее в нашу компашку?

— Папа, а ты позволишь внести некоторые коррективы в твой роскошный план?

— Излагай!

— Все прекрасно, но в аэропорт я поеду один. А вы будете ждать нас в каком-нибудь хорошем месте...

— Я поддерживаю Юрин вариант, — засмеялась Наташа, — зачем пугать девушку такой кодлой?

— Спасибо, Наталья Алексеевна!

— А как мы будем называть вторую Наташу? — спросил Борька.

— Наталья Алексеевна у нас будет Наташа номер раз! — сказал Юра. — А моя Наташа...

— Она будет просто твоя Наташа! — подсказал Леня.

— Здорово!

После шашлыков пили кофе с мороженым и с Таниным печеньем. А Аська с Борей уснули в садовой качалке.

В какой-то момент Наташа спросила:

— Тань, ты завтра...

— Не вопрос!

— Но ты же не знаешь...

— Все я прекрасно знаю. Он назначил тебе свиданку на завтра.

— Да.

— Ох, как же вас обоих клинит...

— Он сказал, что мальчики обо всем догадались.

— Молодцы мальчики! И ведут себя при этом спокойно и доброжелательно. С этой стороны тебе ничего не грозит.

— А с какой грозит?

— Да мало ли... И супружница небось еще не угомонилась, да и твой Артур неизвестно как себя поведет. Но это все потом, а пока наслаждайся, Наташка! А хочешь, я тебя насмешу? Аська втюрилась в Юру.

— Да ты что?

— Ага! Когда сказали про его девушку, она расстроилась...

— Это не страшно. Она вообще влюбчивая особа. Не в маму.

Цунами едва не разнесло в щепки скромный маленький отель в крохотном приморском городке.

— Наташка номер раз, я люблю тебя... И ты вовсе не разрушила мою семью, ты ее, наоборот, сцементировала...

И он рассказал ей о разговорах с сыновьями.

— Я рада, — грустно проговорила Наташа.

— Незаметно что-то...

— Глеб, я, может быть, уйду с канала...

— Что? — буквально подскочил он. — Как это? С какой радости?

— Мне предложили перейти на ТВЦ.

— Чепуха! Нечего тебе делать на ТВЦ! Я тебя нашел и никуда не отпущу. Что они тебе посулили?

— Глеб, пойми, дело совершенно не в деньгах.

— А в чем?

— В нас...

— Не понял! Ты что, не намерена уходить от мужа?

— Мне страшно, Глеб! Он отберет у меня Аську.

— Ерунда! Вы цивилизованные люди, договоритесь. Он что, такой безукоризненно верный муж?

— Да нет...

— А я сам с ним поговорю.

— Глеб, не вздумай!

— Почему? Я поговорю с ним честно, по-мужски... Он будет видеться с девочкой сколько захочет, никаких препятствий... В конце концов ваш брак уже себя изжил.

— Глеб, а если...

— Если что?

— А если это просто страсть? И скоро пройдет?

— Знаешь, мне скоро будет полтинник...

— Еще через полтора года.

— Спасибо за уточнение. Так вот, мне уже под полтинник, и я не самый глупый мужик в России, как-нибудь уж могу отличить страсть от настоящей любви. Что касается меня, то я ручаюсь... Страсть — это со мной случалось неоднократно. А того, что у меня с тобой, никогда не было. Это вполне осознанное, зрелое чувство. Я никогда не испытывал того, что испытываю с тобой. И вовсе дело не в сексе, хотя, должен признать, такого секса у меня тоже еще не было. И потом, мы так чувствуем, так понимаем друг друга... Хотя бы то, что я всегда знаю, когда ты... спишь с мужем. А ты... Почему ты побежала ко мне? Ты можешь это объяснить? Между нами не было сказано ни одного слова о любви... У нас не было... никакого физического контакта. Что тебя погнало ко мне? Ведь до того момента ты была ко мне равнодушна. Ты мне симпатизировала, была, возможно, благодарна, но... Ни о какой страсти в тот момент и речи быть не могло. И меня в Юрмалу вовсе не страсть погнала... Ты, Наташка номер раз, просто хорошая верная девочка, первый раз изменила мужу... Тебя мучает совесть. И потом Артур без тебя не пропадет, поверь мне. А вот я пропаду. Я вообще перестал видеть других женщин, перестал на них реагировать. Смешно, мне раньше ужасно нравилась Шарлиз Тэрон, а сейчас смотрю на нее и думаю: да она в подметки моей Наташке не годится. Короче, с канала ты не уйдешь, а от мужа как раз уйдешь. Но я сам с ним поговорю, не волнуйся. И не возражай.

— Глеб, но твоя жена...

— У меня нет жены.

— Ты уже развелся?

— Пока нет, но скоро разведусь.

— А она не будет бороться за Леню?

— А тут борись не борись, человеку пятнадцать лет, и любой суд прислушается к нему. Это уже вполне сознательный выбор. Не бойся, родная моя, я не дам тебя в обиду никому. Я тут узнал, что в моем подъезде продается однокомнатная квартира...

— И что?

— Я ее покупаю для Леньки. Там поставим рояль и сделаем максимальную звукоизоляцию. Это будет его квартира.

— Глеб, мальчику там будет одиноко.

— Но там он будет только заниматься, а жить с нами, если захочет. Места всем хватит, квартира пятикомнатная. И у Аськи будет своя комната... Наташка, а ты хорошо готовишь?

— Вроде бы неплохо. Ох, Глеб, а давай послезавтра вы все придете к нам, я все приготовлю... Скажи, что мальчики любят?

— Ленька любит всякие пироги. А Юрка страшный сластена...

— А что любит их папа?

— Их папа любит Аськину маму. Ничего вкуснее он в жизни не пробовал.

— Ууу, какие глазищи! — засмеялась Таня при виде подруги.

— Тань, я пригласила на послезавтра всех к нам, хочу приготовить роскошный ужин...

— Ну ясно, ты еще не кормила своего Глеба, что ж, дело хорошее. И я тебе помогу.

— Спасибо, Танечка!

— Скажи, Наташ, у тебя есть подруги?

— Нет. Была одна, еще со школы, но не пережила моей телевизионной карьеры...

— У меня та же история.

— Значит, мы нашли друг друга?

— Факт! Я вообще никогда никому не завидую...

— Я тоже.

Они рассмеялись и обнялись.

— Давай хлопнем по бокальчику, мне так нравится здешнее вино.

— Давай! За нас!

— А тут, между прочим, наметился любовный треугольник!

— Ты о чем?

— Аська влюблена в Юру, а Борька влюблен в Аську...

— А Юра влюблен в просто Наташу, и никакого треугольника. Разве что четырехугольник. И вообще все это чепуха. Знаешь, я сказала Глебу про ТВЦ, он даже слушать не стал. Не пущу, говорит, у тебя контракт!

— Да, правда, Наташка, от добра добра не ищут. Чего рыпаться?

— Я уж и сама так думаю, чего рыпаться...

День в Барселоне прошел так весело и радостно, что к вечеру никто даже не устал. Наташа, прилетевшая из Израиля, оказалась веселой хорошенькой девушкой с длинной косой светло-каштанового цвета, и смотрела на всех с таким дружелюбием, что сразу завоевала все сердца, даже Аськино!

И на другой день утром Глеб Витальевич с сыновьями заехал за Аськой и Борей и сказал, что они поедут в соседний городок и проведут там время до ужина, который обещала приготовить Наташа номер раз.

А Наташа с Таней отправились на рынок. Обе с наслаждением говорили по-испански. Потом еще наведались в супермаркет и помчались домой готовить. Им обеим было так весело, что они играючи справлялись с казалось бы докучной работой.

— Ох, Наташка, сразу видно — готовишь для любимого!

— Ну, не только же для него!

— Значит так, рыбу жарить буду я! Я все-таки волжанка!

— Прекрасно!

— Но это недолго, а что еще сделать?

— Почисти кабачки и баклажаны!

— А что это будет? Аджабсандал?

— Не совсем, одесское соте!

Когда больше половины дел было сделано, женщины побежали на пляж, окунуться.

— Я никак не думала, что у нас будет столь бурный отпуск! — смеялась Таня.

— Да уж! А я с таким удовольствием готовлю. Я в последнее время передоверила все Нине Филипповне...

Часам к четырем все было готово, и они опять отправились на пляж. Таня взяла с собой айфон. И пока Наташа мазала ей спину кремом от солнца, просматривала какие-то сообщения. И вдруг вскрикнула.

— Наташ, глянь, вас засекли!

— Что?

— Гляди, кто-то выложил...

В самом деле в фейсбуке уже кто-то выложил снимок — Наташа, Глеб Витальевич и Аська. И подпись: «Святое семейство возле незавершенного шедевра Гауди собора «Саграда Фамилия»*.

Наташа похолодела.

— Вот сволочи, и чего людям неймется?

— Это ведь кто-то из знакомых, наверняка, — с тоской проговорила Наташа. — А впрочем, черт с ними! Не желаю портить себе такой дивный отдых из-за каких-то сволочей! В конце концов — большое дело — увидели людей на экскурсии... Ничего предосудительного, правда же?

— Правда, Наташка! Пусть им будет плохо, а не нам! В воду?

— В воду!

— Кузьмину про это скажешь?

— Вот еще! И говорить-то не о чем!

* Святое семейство.

...Ужин прошел великолепно. Все восхищались Наташиными кулинарными талантами, даже Боря, довольно привередливый товарищ, ел все, к великому изумлению матери.

— Борька, ты же баклажаны в рот не берешь?

— Я таких вкусных не пробовал! Ты возьми у Наташи номер раз рецепт!

— Вот еще! Это такая канитель!

— Тогда и дальше не буду их есть!

— Ну и не ешь, кому от этого хуже? Только тебе, — невозмутимо парировала Таня.

— В самом деле, совершенно фантастическое блюдо! — воскликнул Глеб Витальевич. — Наташа, вы волшебница! Друзья мои, к сожалению, завтра утром я вынужден улететь на два дня в Москву...

— Что-то случилось? — встревожилась Наташа.

— Ничего существенного, просто дела требуют.

— Дела на канале или семейные? — уточнил Юра.

— Нет, на канале. Иван замутил один важный проект, и нужна моя виза, а ждать дело не может.

— А что за проект? — полюбопытствовала Таня.

— Спортивный. Если выгорит, могут быть хорошие рейтинги. Девушки, я оставляю своих парней на ваше попечение!

— Мы о них позаботимся, не беспокойтесь, дядя Глеб! — заявила Аська, и все рассмеялись.

Наташа уже собиралась спать, когда позвонил Кузьмин.

— Наташка, я не разбудил?

— Нет. Но все уже спят. Что случилось, Глеб?

— Ничего, просто хочу перед отъездом хоть пять минуточек побыть с тобой наедине. Выйдешь?

— Уже!

Наташа как была в легкой пижамке, выбежала из дому.

— Глеб! Я так соскучилась!

— А я! Как представил себе... что два дня тебя даже не увижу... А что это на тебе?

— Пижама!

— О! Пошли!

— Куда?

— У меня тут рядом машина. Такие пижамки делают специально, чтобы их хотелось поскорее снять...

— Ты с ума сошел!

— Да, уже давно и бесповоротно... — Он подхватил ее на руки и понес к машине.

Едва отдышавшись, Наташа спросила:

— Глеб, что там в Москве?

— Ровно то, что я сказал. Если мы упустим этот проект, я себе не прощу. Но это и впрямь два дня. Вот, любимая, я немного зарядился от тебя... Это поразительно, но я всю жизнь с женщинами... разряжался, а с тобой получаю такой заряд жизненных сил... А какие ты пироги печешь, уму непостижимо! Знаешь, о чем я теперь мечтаю?

— Интересно!

— Чтобы ты приготовила ужин для меня одного, и мы бы были вместе... хотя бы до утра... А вообще нет, я хочу, чтобы мы были вместе всегда! И я этого добьюсь!

— Глеб! Я умоляю...

— Не волнуйся, я ничего не буду предпринимать, пока ты мне не скажешь...

— Глеб, твоя семья уже развалилась, но твои мальчики уже большие...

— Дуреха ты, развалилась не семья, а только видимость ее. И всем от этого только лучше.

И мне, и мальчишкам, и Людмиле в конечном счете тоже.

— Но Аське точно будет хуже...

— Я же обещал... А ты что это делаешь?

— Пижаму надеваю!

— Не вздумай! Я еще не насытился...

— Боже, Глеб!

Глеба Витальевича в Москве встретил его старинный друг и партнер Иван Верещагин.

— Глебка! Ты чего? Нешто влюбился?

— А ты чего в аэропорт приперся?

— Чтобы по дороге ввести тебя в курс дела, там есть кое-какие нюансы...

— Молодец! Ты сам за рулем?

— Да. Лишние уши нам ни к чему. Тут такое дело. Глеб, возьми себя в руки, а то у тебя сейчас такая блаженно-глупая рожа... Если все выгорит, мы вечером закатимся в кабак, и ты мне все расскажешь, идет?

— Идет!

Однако по ряду вполне объективных причин подписание договора пришлось отложить на завтра и дружеский ужин тоже. Но в результате все утряслось, и договор был подписан.

— Ну что, дружище, посидим как бывалоча? — весело спросил Иван.

— Посидим! Я голоден как стая волков...

— Сегодня что-то произошло? — присмотревшись к старому другу, спросил Иван.

— Ага. Не знаю, может, я все испортил... Меня так накрыло... Я голову потерял...

— Да кто она такая? Уж не твоя ли протеже Завьялова?

— Откуда дровишки?

— С канала вестимо! Там все шепчутся. Ну что, поздравляю, она хороша...

— А что говорят на канале?

— Ну что, ясное дело, Кузьмин пропихнул на канал свою любовницу.

— Врут, собаки! Я тогда и не мечтал о статусе любовника, но ведь, согласись, Ваня, она великолепная ведущая.

— Согласен, очень неординарная программа получилась. Ты, я вижу, с ума сходишь, а она?

— Она тоже. Нас обоих накрыло... Цунами.

— Будешь разводиться?

— Уже. Развожусь. К счастью. Там такое выяснилось! Оказалось, Юрка мать просто не выносит. И она... Да и Ленька не пожелал уехать с мамашей. Я покупаю ей квартиру в Майами...

— А Завьялова? Она замужем, кажется?

— Она боится. Говорит — а вдруг это только страсть, а страсть быстро остывает... Но это чепуха. Я знаю, это та любовь, в существование которой, как правило, не веришь, пока она тебя не стукнет по башке. Мы с ней понимаем друг дружку с полувзгляда... А я... чувствую, когда она спит с мужем... Мне вдруг на ровном месте делается так невыносимо больно...

— Ни фига себе!

— Вань, дай совет!

— Опа! Когда это тебе нужны были мои советы в таких делах?

— Да вот... Понимаешь, я сегодня утром проснулся, поглядел на ее снимок в телефоне и понял — надо что-то делать, нельзя ждать у моря погоды...

— И что ты сделал?

— Поехал к ней домой.

— А разве она не в Испании?

— Она в Испании. Я поехал поговорить с ее мужем.

— И как?

— Вот слушай. Я позвонил в дверь. Слышу мужской голос: кто там? Говорю: откройте, Артур Михайлович, это Глеб Кузьмин. Он открывает, заспанный, в одних трусах. И смотрит на меня эдак хмуро. Но в квартиру не приглашает...

— Баба у него там была?

— Именно.

— И что?

— Я не сразу и сообразил. И говорю: «Артур Михайлович, я любовник вашей жены...»

— Спятил? — поморщился Иван.

— Спятил, — спокойно подтвердил Кузьмин. — Гляжу, у него глаза на лоб лезут. А я продолжаю, я, мол, вашу жену люблю больше жизни, и она меня любит, прошу вас дать ей развод, без лишней нервотрепки. А он как заорет: пусть эта шалава убирается на все четыре стороны, а дочку я ей не отдам! И тут на его вопли выглядывает из комнаты красивая девица...

— Блондинка? — усмехнулся Иван.

— Да нет, рыженькая, вид тоже явно только из койки. «Что тут за шум, милый?» Он как заорет: «Убирайся отсюда!» А я, не будь дурак, записал всю сценку на телефон. Он это заметил и кинулся на меня... Ну, я ему руку заломил слегка. И говорю: «Артур Михайлович, давайте поговорим как цивилизованные люди. Я через десять минут жду вас в соседнем кафе». И ушел.

— Красиво!

— Ага, мне тоже понравилось. Гляжу, и в самом деле является, одетый, побритый. И уже не агрессивный. Я ему: Артур Михайлович, я все понимаю, вы адвокат, можете сколь угодно затягивать это дело, но такой стиль поведения ничего не изменит. Из Испании я привезу Наташу и Асю к себе, вы сможете общаться с девочкой столько, сколько захотите, можете брать ее с собой на отдых, никаких препятствий и ограничений. Посягательств на квартиру никаких не будет, и давайте обставим развод как можно тише и спокойнее. Всем от этого будет только лучше. И не надо говорить или думать о Наташе плохо. Ваш брак явно себя изжил. Вы тоже не самый верный муж... Обидно, я понимаю, но ради Аси не стоит поднимать скандал, и хотелось бы избежать интервью в средствах массовой информации, и, разумеется, девочке лучше жить с матерью.

— Это смотря с какой матерью!

— И смотря с каким отцом!

— Подобные записи редко принимаются в расчет в суде.

— Однако определенное впечатление на судей все же могут произвести. Но к чему нам враждовать, Артур Михайлович? Я хотел бы, чтобы все было цивилизованно и интеллигентно, чтобы вы могли бывать в нашем доме...

— Вот уж ни к чему!

— Не хотите, не надо. Но ради Аси нам стоило бы вести себя в рамках приличий, не правда ли? Вам даже не нужно платить алименты...

— Ну уж нет! Свою дочь я буду содержать сам.

— Уважаю ваше право...

— Вот так мы поговорили, — с тяжелым вздохом завершил свой рассказ Глеб Витальевич.

— И, как я понял, вы в принципе пришли к консенсусу?

— Вроде бы пришли. Но я как-то слабо верю адвокатам.

— А какого совета ты от меня хотел, Глебка?

— Понимаешь, я вдруг испугался.

— Жениться передумал?

— Да что ты такое говоришь! Нет, конечно! Просто я не уверен, что Наташа... что она согласится... Я ей обещал, что ничего пока предпринимать не стану, но не удержался...

— Я дам тебе совет, дружище! Поступай так, как поступал всю жизнь, и когда так поступал, практически всегда одерживал победу.

— Что ты имеешь в виду?

— Нахрап! Ты же был раньше такой нахрапистый мужик... Вот и тут... Вернешься в Испанию, сразу бери быка за рога!

— Да если бы там был рогатый бык... А то дивная нежная женщина с ребенком.

— Знаешь, нежные женщины с детьми очень любят, чтобы за них все решали. Ты сразу заяви: так мол и так, отсюда едем ко мне, с мужем все уже оговорено, и еще, пусть девочка ходит в ту же школу. Если это далеко, организуй ей водителя, лишний стресс ребенку не нужен. А как, кстати, она к тебе относится?

— Да вроде хорошо, и в Юрку влюблена... И с Ленькой прекрасно общается. А ты ведь прав, Ванька, только нахрапом...

— А то! Ты ведь и с муженьком тоже нахрапом действовал... Да если она тебя любит...

— Она меня любит!

— Тогда она будет счастлива, что ей ничего уже не нужно решать. Она расслабится и еще больше тебя полюбит. Только не заваливай ее брюликами, это, по-моему, другой жанр.

— Смотришь в корень. Я купил ей шикарное кольцо. Она не взяла.

— Чем мотивировала?

— Сказала, что ей этого не нужно, и что, если у нас все сложится, пусть тогда оно будет свадебным подарком.

— Красиво.

— Ох, Ванька, я иногда думаю, что, если бы мы с ней в Питере разминулись и ее не было бы в моей жизни... Мне становится страшно.

— Да, мужик, ты влип!

— Влип, — с улыбкой согласился Кузьмин. Улыбка была счастливой. — А как твоя Сольвейг? — полюбопытствовал Глеб Витальевич. Он однажды видел девушку Ивана. Она была прекрасна. Длинные льняные волосы, большие васильковые глаза, совершенно натуральная девушка. Иван вообще был падок на северную красоту.

— О, это еще тот кадр оказался! — рассмеялся Иван. — Я влимонился по полной программе, такая хорошая, скромная, студентка-медичка, из скромной интеллигентной семьи, папа с мамой врачи из Кондопоги. Я решил устроить девушке сказку наяву... Даже думал, чем черт не шутит, женюсь... И такой облом, Глебушка!

— А что? Оказалась крашеной брюнеткой?

— Это я бы, скорее всего, пережил. Она непрерывно чикинилась... В первое утро спускаемся к завтраку в отеле. Нам что-то подают, она сперва это все снимет на телефон, отправит, а только потом начинает есть.

— Бред!

— Ага! И буквально каждый шаг она фиксирует на телефон. Себя снимать я ей запретил категорически, но не уверен, что она меня спящего не снимала. Спросил, зачем ты это делаешь? А она говорит, мол, все ее подружки так делают и вообще это очень круто...

— Сколько ты так выдержал?

— Четыре дня.

— А потом?

— Дал сколько-то денег и отправил восвояси, пусть найдет себе подобного и чикинится на здоровье! Тьфу! Я ее уже на второй день возненавидел. Глеб, а твоя молодежь не чикинится?

— Насколько мне известно, нет, — рассмеялся Глеб Витальевич. — Слушай, брателло, а как тебе Таня Алешина?

— Алешина? Она ничего... Умная девка. А что?

— Она точно не чикинится. Может, махнешь со мной на пару дней? Тебе давно пора кончать с холостой жизнью. И ребенка завести...

— Вот с этим засада, брат Кузьмин, бесплоден я.

— А знаешь, какой у Тани сынишка? Прелесть просто! Борька! Такой уморительный тип. К матери относится слегка покровительственно, влюблен в Аську... Десять лет, а рассуждает...

— О, какая у вас там насыщенная жизнь...

— Пора бы уж остепениться, Ваня! А то все молодки в твоем вкусе теперь чикинятся.

— Тьфу! А что, Глеб, может и вправду махнуть в Испанию? А ты можешь вообразить, что поднимется на канале, когда два его отца-основателя женятся одновременно на двух ведущих?

— Воображения не хватает!

— Но все-таки мне, наверное, не следует лететь с тобой.

— Почему?

— У тебя там слишком серьезное дело...

— Вот именно! А ты будешь там олицетворять собой мужское взрослое начало, отвлекать и развлекать всю кодлу, покуда мы с Наташкой будем разбираться...

— Вона как! Олицетворять мужское начало я люблю!

— Только не вздумай завести шашни с Юркиной девушкой!

— За кого ты меня принимаешь?

— Наташ, ты чего маешься? — тихонько спросила Таня. — Плохо тебе без него?

— Не в том дело. Просто мне кажется, он что-то задумал...

— Ты о чем?

— Он может сунуться к Артуру, а к чему это приведет, один Господь знает.

— Ну не поубивают же они друг дружку!

— Надеюсь. Но мне все равно неспокойно.

В этот момент зазвонил Наташин телефон.

— Глеб! — расцвела она и побежала в дом.

— Алло, Глеб, ты когда возвращаешься?

— Завтра. Я так соскучился. Просто пропадаю...

— Я тоже. У тебя все хорошо?

— У меня все замечательно! Наташка, со мной на пару дней прилетит Ванька Верещагин. Он, кажется, положил глаз на Татьяну...

Наташа звонко и счастливо рассмеялась. Значит, все мои страхи были напрасны. Слава богу!

— Тань, скажи, а как ты относишься к Верещагину?

— К художнику?

— Нет, к продюсеру.

— Да никак особенно не отношусь, но вроде он нормальный, а что?

— Он прилетает сюда с Глебом на два-три дня.

— Пусть прилетает, он не противный.

— А Глеб говорит, что...

— Что там говорит Глеб?

— Что Верещагин вроде положил на тебя глаз.

— Вошь те заешь! — как говорил мой дед. Интересное кино! Но только я думаю, Кузьмин сейчас в такой эйфории, что ему хочется облагодетельствовать весь мир. И друга холостого пристроить, и подружку Наташкину замуж выдать, чтобы кругом было сплошное благолепие и благорастворение воздусей...

— Тань, а вдруг сладится? Чем черт не шутит?

— Шутки черта, как правило, ничем хорошим не заканчиваются.

Часть 4

— Папочка! Я так соскучилась!

— И я! Ну, моя радость, как тебе живется?

— Ничего, папочка, в целом хорошо живется. А куда мы сегодня пойдем?

— Я думаю, сперва в зоопарк, как я обещал в прошлый раз, а потом поедем обедать к бабушке. Она тоже ужасно скучает.

— Да? — разочарованно протянула Аська. — Ну ладно, пусть, — тяжело вздохнув, добавила она.

— А ты к бабушке не хочешь?

— По чесноку?

— Конечно!

— Понимаешь, бабушка начнет выпытывать, как мы живем. И, знаешь, папочка, мне кажется, ей хочется, чтобы у нас все было плохо...

— Что ты выдумываешь?

— Нет, ты не понимаешь... Не то, чтобы бабушка хочет, чтобы мне было плохо... Но чтобы плохо было... маме...

Артур молча поцеловал дочку в лоб. До чего же умный ребенок!

— Тогда давай сделаем так: заедем в бабушке только пообедать, а потом скажем, что идем куда-нибудь, в кино, например, или в театр.

— Ну ладно. А сейчас в зоопарк?

— Как договорились!

— А мороженое купишь?

— На улице нет. Зайдем в кафе-мороженое.

— А получится перед обедом! — лукаво напомнила Ася.

— Есть прекрасная идея! Мы после обеда завалимся в кафе-мороженое.

— А бабушке скажем про кино?

— Ну да.

— Значит, будем врать?

— А у тебя хватит совести сказать бабушке, мол, не хочу я тут с тобой сидеть?

— Не хватит. Ладно, я потерплю. Но мороженое...

— А хочешь, купим большую бадью и отвезем бабушке?

— Не хочу! У бабушки есть мороженое неинтересно.

Ох, подумал Артур, если главная проблема в том, чтобы с кайфом поесть мороженого, значит ей и впрямь там неплохо.

— Скажи, Аська, а ты маму-то часто видишь?

— Конечно! Ну, во-первых, она меня каждый день будит, в школу провожает... Пап, а ты знаешь, меня хотят музыке учить! Правда здорово?

— С чего это вдруг? Всегда говорили, что у тебя слуха нет?

— Да, говорили, а вот Леня меня проверил и сказал, что у меня слух есть и его необходимо развивать...

— А ты сама-то хочешь учиться?

— Очень! Мне так нравится... Знаешь, Леня никому не разрешает слушать, как он занимается, а меня пускает. Я сижу тихонько в уголочке и слушаю... Леня такой добрый! Я всем говорю, что он мой старший брат, это так круто!

Слышать это отцу было неприятно. И Аська сразу это почувствовала.

— Папочка, но все равно, ты у меня самый любименький, самый-самый!

— Надеюсь, ты не кормил ее мороженым перед обедом? — встретила их Валентина Тихоновна.

— Разумеется, нет. Но после обеда мы сразу уйдем, нас еще ждут в кафе на день рождения одной девочки из класса! — заявил Артур тоном, не терпящим возражений. — А потом я отвезу Асю домой.

— Ну конечно! Бабушка тут старается, готовит, а они в какое-то поганое кафе намылились!

— Бабушка, оно совсем не поганое!

— Много ты смыслишь! Ну, рассказывай!

— Что рассказывать?

— Как живешь с мамашей-шалавой и чужим старикашкой?

— Хлебушек не старикашка!

— Какой еще Хлебушек?

— А я так дядю Глеба зову, ему нравится! И мама никакая не шалава! И живу я хорошо!

— Ну, ясно! Твой дядя Хлебушек куда богаче твоего папы!

— Мама, не начинай!

— А что, я правду говорю! Мамаша-то продалась, чтобы в телевизоре каждый божий день светиться...

— Не смей так говорить про маму! У них любовь! Так бывает. У нас в классе у многих мамы с папами развелись. Я не одна такая! Но у меня папа хороший, он меня не бросает, а девочки должны жить с мамами, вот!

— Ну ладно, ладно... А то сейчас заревешь! Просто мне за сына обидно! Все, идите мойте руки!

Артур увел дочку в ванную.

— Ась, бабушка старая уже, у нее свои представления... Ты на нее не сердись!

— Ладно, только я все равно мамину маму больше люблю.

И я тебя понимаю, сказал про себя Артур. А вслух предостерег:

— Только не вздумай сказать это при бабушке.

— Что ж я, дура конченая?

Несмотря на субботу, Глеб Витальевич вернулся домой только около семи. Он все еще не мог привыкнуть к тому, что дома его ждет Наташа. Каждый раз он машинально вытаскивал из кармана ключи, но потом, опомнившись, звонил. Ему так нравилось, когда она распахивала дверь и кидалась ему на шею. Сердце сладко и радостно замирало.

— Глеб! Наконец-то! Ты голодный?

— Как зверь!

— Иди мой руки!

— А мы что, вдвоем ужинаем?

— Ну да! Аська у отца, а Леня в консерваторию пошел.

— Хорошо! Родная моя!

— Садись! Суп будешь?

— Погоди! Дай на тебя насмотреться...

Он взял в ладони ее лицо.

— Ну вот, а теперь корми мужа! А какой суп?

— Грибной, по рецепту Женькиной жены.

— Что-то новенькое?

— Да. Вот, попробуй! И положи сметану!

— Ох, и правда, как вкусно! А ты почему не ешь?

— Не хочется.

— А ты почему так на меня смотришь?

— Знаешь, это такое счастье — кормить любимого мужчину... У меня вчера была писательница Мельгунова. У нас хороший разговор получился... Так вот она сказала, что в ее первой книжке редактор самовольно поменял ей слово «кормить» на слово «угощать», а речь шла именно о любимом мужчине... И смысл не только этой фразы, а всей сцены исказился, из-за одного слова... Она сказала, что, обнаружив это в книге, горько плакала...

— Она права. Одно слово так все может поменять. А в целом удачная была съемка?

— Очень! Мне было легко и приятно с ней общаться, зато Каратаева всю душу из меня вытянула. Чуть что в слезы. И об этом говорить не хочу, и об этом не желаю... И жалко ее, с одной стороны, а с другой... Зачем шла на интервью? Понимала же, что вопросы будут непростые... Хорошо еще, это была последняя съемка вчера...

— Ты вчера ничего не говорила. Просто сил не было?

— Не было, Хлебушек, не было.

Он рассмеялся.

— Мне так нравится, что Аська меня Хлебушком зовет. Да, я вот тут подумал... Насчет ее музыки. Может, стоит показать ее какому-нибудь опытному педагогу? Мало ли что Леньке померещилось, а мы девчонку зря мучить будем?

— Почему зря? Во-первых, она жаждет, а во-вторых, ты не доверяешь своему сыну?

— Ну... Доверяй, но проверяй, этого еще никто не отменял.

— Глеб, но ведь Леня не утверждает, что у нее абсолютный слух, и готовить из нее музыканта мы тоже не собираемся. А вот позаниматься музыкой для развития слуха и для общего развития очень даже полезно.

— Ты как всегда права!

Тут в дверь позвонили.

— Аська!

Наташа побежала открывать.

— Мамуля! Это я!

— Тебя папа привез?

— Да! Сказал, что спешит, посадил меня в лифт и ушел. А Хлебушек дома? Тут ему конверт, в ящике лежал!

— Настасья пришла? — донесся из кухни голос Глеба Витальевича. — Беги сюда!

— Привет, Хлебушек! Тут тебе письмо!

— Настасья, ты есть не хочешь?

— Ни за какие коврижки!

— Тогда свободна!

Девочка убежала.

— Глеб, что за письмо?

У Наташи вдруг противно засосало под ложечкой.

— Пока не знаю. Я потом посмотрю. Наверняка какая-нибудь муть. Наташка, а ты чего побледнела?

— Глеб, мне почему-то страшно...

— Страшно? Чего ты испугалась, дурочка моя?

— Мне кажется, там какая-то пакость.

— Ладно, я сейчас его вскрою. Ну-ка, что там такое?

— Погоди! Глеб, тут же нет почтового штемпеля, и адрес написан печатными буквами... Не вскрывай его! А вдруг там какая-нибудь зараза или вообще... Позвони Довжику!

Довжик был начальником отдела безопасности на канале.

— Наташка, не сходи с ума! — он прощупал конверт. — Там, похоже, какие-то бумаги.

И он решительно вскрыл конверт. Вытащил оттуда несколько фотографий.

— Что за бред? — нахмурился он.

На снимках был изображен Глеб Витальевич, держащий в объятиях полуголую молодую девушку.

— Глеб, что это?

— Сама видишь. Попытка компромата. Но этим фотографиям как минимум лет шесть.

— Дай-ка сюда! Да, ты тут значительно моложе выглядишь. И, как я понимаю, эти снимки предназначались для меня. Мне и вправду это неприятно, но у меня все же хватает ума понять, что тогда ты даже не подозревал о моем существовании. А что за девица?

— Да была одна... Но беда в том, что она действительно «была». Года три назад погибла в автомобильной аварии.

— А я даже догадываюсь, кому пришла в голову эта гениальная идея.

— И кому же?

— Твоей бывшей. Это ее стиль — выследить, собрать компромат...

Глеб Витальевич растерянно смотрел на Наташу. Она подскочила к нему, выхватила из рук фотографии, порвала и выкинула в мусорное ведро.

— Наташка! — улыбнулся он. — Ты ревнуешь?

— Да, как это ни глупо. — Она подошла, ткнулась носом ему в грудь. — Я же люблю тебя. С каждым днем все сильнее... и ужасно... просто ужасно боюсь... Она на этом не остановится. Она тебе мстит.

— Да ерунда! Думаю, это что-то другое. В противном случае письмо адресовали бы тебе. Ты ведь могла даже не увидеть эти снимки. Да и зачем Людмиле так глупо и мелко пакостить? Она получила все, что хотела. Свободу, дом, квартиру в Майами. Она еще молодая красивая баба, устроит свою жизнь.

— Да, Глеб, я вот еще хотела спросить... Помнишь, весной, когда мы пили кофе на балкончике...

— Как не помнить.

— Так вот, ты тогда сказал, что у тебя за городом две кошки и кот. Где они? Она их взяла?

Он помрачнел.

— Да, да.

— Глеб, ты врешь!

— Просто не хотел говорить... И прошу, не говори мальчишкам...

— Господи, что она с ними сделала?

— Усыпила. Знала, как я их обожаю.

— Но зачем?

— Просто назло.

— Глеб!

— Понимаешь, я много лет был в постоянном цейтноте, мне было важно, чтобы моя семья ни в чем не нуждалась, чтобы они были здоровы. Я был просто слеп. Крутился, как белка в колесе. А она... казалась мне хорошей матерью... Теперь выясняется, я совершенно ее не знал...

— Но может именно потому, что ты не обращал на нее внимания... заводил каких-то девок...

— Нет, моя дорогая, это не основание, чтобы убивать ни в чем неповинных животных. И я так счастлив, что встретил тебя... Забудь обо всем. Если что-то еще в таком роде будет, я приму меры, выясню, кто это старается. А ты об этом не думай больше.

— Ладно, не буду, — пообещала Наташа. Но не получалось.

В понедельник Наташа поехала на очередную примерку. И сразу увидела, что женщина, всегда работавшая с ней, чем-то явно расстроена.

— Сонечка, что с вами? Вы чем-то огорчены?

— Ох, Наташа, вроде бы ничего рокового, но покоя лишилась...

— Да в чем дело? Скажите, вдруг я смогу помочь?

Соня подняла на нее глаза. И улыбнулась.

— И вправду, вдруг поможете! Понимаете, Наташа, на прошлой неделе умерла моя свекровь. А у нее осталась кошка...

— И что? Вы не любите кошек?

— Да я обожаю кошек! Но у меня у самой два здоровенных мэйн-куна. И они с Глашкой несовместимы! Ну никак! А кошка... Я вам покажу, это чудо!

Еще даже не видя кошки, Наташа уже решила, что непременно ее возьмет. И увидев ее портрет в телефоне, воскликнула:

— Беру! Соня, я ее беру!

— Нет, правда?

— Конечно! Я уже в нее влюбилась.

— А ваш муж?

— Он будет просто счастлив. И дочка тоже. Вы сказали Глаша? Прелесть!

— Ну вообще-то по родословной она Габриэлла, но свекровь звала ее Глашей. Она очень породистая, стерилизованная. С ней вообще никаких хлопот...

Наташа все любовалась кошкой в телефоне. Кошка была темно-серая, с очень густой короткой шерстью и маленькими ушками. А глаза у нее были совершенно круглые и оранжевые.

— Это британка?

— Да. Хороша?

— Не то слово!

— Наташа, а когда вы сможете ее взять? Вам не надо посоветоваться с мужем?

— Не надо!

— Я вам ее привезу завтра, если можно?

— Нет, завтра у меня съемочный день, я теперь два раза в неделю снимаюсь. Давайте послезавтра часов в десять. Ни мужа, ни дочки уже не будет, сделаю им сюрприз!

— Ох, Наташа, я так вам благодарна, у меня слов нет.

— А сколько ей годков?

— Пять.

— Отлично! Надо будет сегодня все для нее купить!

— Ничего не покупайте! Чтобы она освоилась легче, я привезу ее лоточки, мисочки, короче, все приданое.

— И напишите, чем ее кормить...

— Непременно!

...У Наташи резко поднялось настроение. Как хорошо! Пусть в доме будет животное. Она помнила огромного котищу по кличке Кузя, которого видела во время так называемой «канализации» в загородном отеле. Тогда они с Глебом впервые пили кофе вдвоем, и она впервые ощутила исходящее от него тепло. Господи, Глеб... Как он примчался из Москвы в Испанию, как у него горели глаза, как он огорошил ее и Аську заявлением, что теперь они будут жить вместе... И сообщил, что уже все уладил с Артуром. И я сдалась... Да и кто бы не сдался... Когда он в таком состоянии и настроении, никто не может ни в чем ему отказать. Даже Аська, вроде бы обожавшая отца, сказала:

— Мамочка, у вас любовь?

— Да, Асютка, любовь.

— Я понимаю уже... А папа? У папы тоже другая любовь?

— Ну, в общем, да.

Она помолчала, потом подняла глаза и тихо сказала:

— Да, чем папа и какая-то чужая тетка, лучше ты и твой Хлебушек!

— Аська, чудо мое!

— А мне с папой можно будет видеться?

— Конечно, сколько захочешь!

Не знаю пока, есть ли там уже постоянная «чужая тетка» или имя им легион, но во всяком случае, когда я приехала за своими вещами в его отсутствие и полезла на антресоли, там я обнаружила тот самый пакет, куда когда-то ссыпала солидный запас презервативов из зайчика. Теперь на дне валялись два жалких пакетика. Мой супруг в мое отсутствие тоже зря времени не терял. Ну и молодец! Мы потом встретились, вполне мирно все обсудили. Он повел себя порядочно, впрочем, я в этом и не сомневалась. Он в принципе хороший парень. Чего не скажешь о бывшей жене Глеба. Наташа чувствовала, что еще хлебнет с ней горя.

И как в воду глядела.

Она заехала домой переодеться и перекусить, перед тем как ехать на студию монтировать программы. Нина Филипповна, узнав, что Наташа разводится с мужем, спросила, не возьмет ли она ее на новое место, уж больно она к Асютке привязалась, и Наташа с восторгом согласилась, так как Аська тоже любила милую женщину.

Она застала Нину Филипповну на кухне, та что-то искала в аптечке.

— Нина Филипповна, вы заболели?

— Нет, Наташенька, палец вот иголкой проколола.

— Господи, где иголка-то была?

Нина Филипповна с сочувствием посмотрела на Наташу.

— Ох, миленькая... Это ведь неспроста...

— Да что такое, Нина Филипповна?

— Тут, в квартире, кто-то побывал.

— Ничего не понимаю!

— Да иголку-то эту я где обнаружила?

— И где же?

— Да в спальне вашей над кроватью картинка шелковая висит.

— И что?

— Да я ее тряпочкой мягонькой протираю, а тут иголка мне в руку впилась... Я сколько раз там протирала и ничего. А тут... Ох, плохо это. Кто-то порчу на вас наводит...

— Да ну, ерунда! Может, просто...

— Ох, Натуля, непросто это, совсем непросто. А еще вот что я нашла в кабинете Глеба Витальича в мусорной корзинке. Скажете, что это он вашу фотку так изодрал? И рамку в щепки...

На столе Глеба всегда стояла Наташина фотография в изящной рамке.

— А может, это он сам... — растерянно проговорила Наташа. — Рассердился на меня... И порвал...

— Вы-то сами в это верите, Наташа?

— Честно говоря, нет, не верю.

— Вот и я о том же... А давайте, Наташа, все обыщем, мало ли что еще... Я у Аси-то еще не убиралась.

Наташа опрометью кинулась в комнату дочери. Нина Филипповна поспешила за ней. Одну иголку Наташа обнаружила в любимом вязаном коте, она была воткнута в кошачий хвост. Еще одна нашлась с обратной стороны картинки над письменным столом.

— Боже, что делать? Кто это старается?

— Есть одна мысль, Наташенька!

— Какая мысль?

— Да самая простая. Бывшая Глеба Витальевича. У нее небось ключи-то есть. Да и консьержка ее всегда пустит... Вы тут небось замки-то не меняли?

— Кажется, нет.

— А вы в Лёнечкиной комнате гляньте, ежели там ничего нет, значит точно она.

В Лёниной комнате и впрямь ничего не обнаружилось.

— Ну что ж, по крайней мере все ясно. Я сию минуту вызываю слесаря, пусть поменяет личинки. Глебу ничего говорить не будем. Он когда приходит, звонит в дверь, а я незаметно ключи ему подменю. Зачем его огорчать?

— Ох, и любите вы его!

— Люблю, — тяжело вздохнула Наташа. — Но мне сейчас уже пора ехать, а вы обыщите в кабинете все.

Наташа позвонила в фирму, ей пообещали в ближайшие часы прислать слесаря.

— А вы ничего и не поели, Наташа!

— Да мне сейчас кусок в горло не полезет.

Только этого не хватало. Наташа не очень верила в сглаз и порчу, но то, что эта баба расхаживала по квартире, да еще явно со злым умыслом... И ладно бы еще только нам с Глебом хотела напакостить, но она и ребенка не пощадила. Жаль, что я неверующая, а то пошла бы к батюшке, попросила прогнать бесов... Ей самой стало смешно. Я-то во все это не верю, а эта идиотка верит. Не стану же я из-за гнусной бабы портить себе жизнь! Еще чего! Не дождется!

И она поехала на работу.

Следующий день был съемочный.

— Натуля, скажи, это правда, что вы с Кузьминым теперь вместе? — спросил нежно любящий ее гример Левочка.

— Не просто вместе, — улыбнулась Наташа, — мы в прошлом месяце расписались.

— Да ты что? А свадьба?

— Какая свадьба, Левочка, зачем? На радость желтой прессе? Мы все сделали по-тихому.

— Ну надо же! А у нас шепчутся, что ты с ним давно... и вообще...

— И вообще он пропихнул на телевидение свою любовницу?

— Именно!

— Ох, меня это уже достало! Так вот, Левочка, если спросят, говори, что чушь все это. У нас любовь началась больше чем через полгода.

— Может, у тебя. А я сразу просек, что он в тебя по уши... Еще когда насчет грима распорядился. Неспроста, думаю... А ты молодец!

— Чем же это?

— А ведешь себя правильно. Так, как будто ничего не изменилось и ты вовсе не жена генпродюсера...

Но тут Наташу позвал режиссер.

После четвертой съемки Наташа буквально рухнула в кресло к Левочке.

— Ради бога, снимай скорее грим, иначе сдохну!

— Устала, красавица? Что за козел этот Светланин! Зачем таких зовут?

— Откуда я знаю? Но я не думала, что так трудно будет.

Внезапно дверь гримерной открылась, и на пороге возник Кузьмин.

— Где тут моя жена? — громко сказал он. — Ох, Наташка!

— Глеб! — просияла она. — Что-то случилось?

— Да я был тут и решил сам тебя забрать.

— Глеб Витальевич, поздравляю! — проговорил Левочка.

— С чем это? — удивился Кузьмин.

— С замечательной женой!

— Принимается, спасибо, Лев! Ты скоро ее отпустишь?

— Еще пять минуточек.

— Совсем я тебя загнал, Наташка?

— Ничего, оклемаюсь, — счастливо засмеялась она.

— Глеб Витальевич, зачем звать таких, как Светланин? Он всю кровь из Наташи выпил.

— А что такое?

— Да придирался к каждому слову, ни на один вопрос толком не ответил, это Наташе-то, которая любого может разговорить. А этому, видать, и сказать-то нечего, звезда шоу-бизнеса, мать его!

— Он так настаивал, просто требовал, чтобы его позвали в шоу к Завьяловой, и еще Верещагин просил... — объяснила Наташа. — К тому же он производил вполне нормальное впечатление. Лева, скажи, это провальный эфир будет?

Мнение Левы Наташа очень уважала.

— Для тебя — нет, а для него — безусловно.

— Все, хватит о работе! — вмешался Кузьмин. — Поехали домой, жена!

Они попрощались с Левочкой и ушли.

Глеб Витальевич усадил жену в машину, пристегнул ремень безопасности.

— Глеб... Как хорошо, что ты приехал.

— Еще бы не хорошо! На целый час раньше увидел любимую женщину.

— Ох, как я люблю это словосочетание — любимая женщина, — сонно пробормотала Наташа. В машине рядом с Глебом она сразу расслабилась и закрыла глаза, чувствуя, что сейчас уснет... А завтра утром привезут Глашу, успела она подумать и уснула.

— Наташка, просыпайся, приехали!

Пока они ждали лифта, Наташа подумала: как странно, с Артуром я после съемочного дня долго не могла уснуть, а с Глебом сразу как-то расслабляюсь... Или просто я уже привыкла к этой работе, втянулась, и Глеб тут не при чем? Да как же ни при чем? Просто Глеб меня по-настоящему любит, и ощущаю это всем своим существом.

— Аська уже давно спит! — сообщил им Леня. — Наташ, ты очень устала, да?

— Не то слово! У тебя все в порядке, Лёнечка? Никакая помощь не требуется?

— Вообще-то в Н-мольной Шопена одно место никак не получается! Поможешь?

Наташа рассмеялась.

— Уел!

Леня огляделся и, убедившись, что отца нет поблизости, прошептал:

— Наташа, мне и вправду нужна твоя помощь! Ты завтра с утра дома будешь?

— Буду.

— Тогда и поговорим.

— Ленечка, это что-то плохое?

— Думаю, что для меня наоборот, хорошее... Ты не волнуйся, Наташ, ничего не случилось, просто жизненный вопрос.

— А папа знает?

— Пока нет, но я хочу сначала с тобой поговорить.

— Хорошо!

— Тогда спокойной ночи!

— И тебе тоже!

— Наташ, куда девалась твоя фотография с моего стола?

— Ох, Глеб, это я случайно уронила и сломала рамку. На днях куплю новую.

И суп после съемок Наташа теперь тоже не ела, даже не хотелось. Только простоквашу с корицей.

Утром Наташа накормила завтраком мужа и дочку. Сегодня Глеб Витальевич сам повез Аську в школу.

— А Ленька что, дрыхнет? И ты почему не ешь ничего?

— А я с Леней поем. Ему сегодня позже надо.

Едва дверь за отцом захлопнулась, на кухню явился Леня.

— С добрым утром, Наташа!

— Привет, садись, будем завтракать. Я тебя ждала.

— Спасибо, Наташ, тут такое дело... я вдруг понял, что, наверное, не хочу становиться профессиональным музыкантом.

— Здрасьте, приехали! С чего это?

— Я точно знаю, что я отнюдь не гений, а становиться очередным средним пианистом не хочу.

— А с чего ты взял, что ты не гений? Уже одна эта мысль свидетельствует о некой незаурядности.

— Может, о незаурядности мышления в пятнадцать лет, но отнюдь не о незаурядности музыкальных способностей.

— Вон как загнул! Ну хорошо, а кем ты хочешь быть?

— В том-то и дело, что я еще не определился!

— Ты намерен бросить школу?

— Да.

— И где ты думаешь определяться?

— Для начала, наверное, лучше пойти в обычную школу... И к ее окончанию может я что-то для себя найду. Я только боюсь, что папа начнет кричать, давить на меня... А может уехать к Юрке? Пожить в Англии, там определиться?

— Нет, это неправильно.

— Почему?

— Юра там очень занят, ему незачем взваливать на себя ответственность за братишку. Это раз. Во-вторых, ты хочешь учиться в английской закрытой школе?

— Нет, ни в коем случае, это не для меня.

Наташа внимательно посмотрела на мальчика.

— Лень, скажи, ты устал от музыки?

— Пожалуй, да. Устал. Надоело все время тянуться куда-то... стремиться побеждать, участвовать в конкурсах...

— О, тогда я знаю, что тебе делать!

— И что?

— Сказать себе, да пошли они все куда подальше, не желаю я участвовать в этих гонках, я буду просто учиться в этой школе, куда очень нелегко попасть, но учиться не ради конкурсов, не ради даже поступления в консерваторию, а просто потому что я люблю музыку... И никаких амбициозных целей я перед собой больше не ставлю, и чихать я хотел на все премии мира!

Леня внимательно посмотрел на нее.

— Наташа, ты это искренне или просто, чтобы от меня отвязаться?

— Совершенно искренне. Я просто это знаю. Со мной тоже такое было примерно в твоем возрасте. Меня тоже вдруг достала учеба, стремление к каким-то результатам... Лень, а ты, часом, не влюбился?

— Точно нет. И как ты поступила тогда?

— Достаточно глупо! Перестала ходить в школу, бунтовала... Но у меня был старший брат. То есть он у меня и сейчас есть, и я его обожаю. Кстати, надо вас с ним познакомить, вот он вернется из Канады, он там в командировке...

— И что сказал твой брат?

— Понимаешь, ничего особенного вроде бы. Он сказал: «Натик, тебе охота быть никчемной кретинкой? Ты сейчас еще даже не девушка, а так... дурында-недоросток, и я знаю, что с тобой делать!» Он взял меня за шкирку и отвел... в театральную студию для школьников. Мне там здорово понравилось. Было интересно. Но способностей у меня к этому делу не было, и я быстренько оказалась в аутсайдерах. Что мне, конечно, не понравилось, тогда как в испанской школе, где я училась, я была едва ли ни лучшей ученицей... И я подумала: в конце концов мне легко даются языки, но вовсе не обязательно, что в будущем я буду испанисткой, просто с испанским передо мной будет больше путей... И я перестала видеть перед собой одну-единственную цель, не пренебрегая таким хорошим средством, как иностранные языки.

Леня звонко рассмеялся.

— Да, даже телезвездой стала и со знанием иностранных языков! Ты в Испании здорово по-испански чесала. Знаешь, я тебя понял, и мне такой вариант нравится. Пока... Да, я забью на все эти конкурсы, буду учиться просто для себя. Это хорошая мысль... Спасибо тебе. И давай, мы папе ничего говорить не станем?

— Конечно. Зачем, если все остается по-прежнему?

— Еще раз спасибо! И я теперь знаю, какую девушку мне надо в жизни искать!

— О, я польщена! Лень, я тебе открою секрет. Знаешь, кого нам привезут минут через двадцать?

— Собаку?

— Нет, кошку!

Она рассказала парню о горестной судьбе Глаши.

— Как хорошо! Ты правильно поступила. А папа еще не в курсе?

— Нет. Сюрприз. И для Аськи тоже.

— У нас в доме тоже были кошки. Но они куда-то пропали.

— Да, папа говорил.

— Так я пойду к себе, поиграю?

— А Глашу дождаться не хочешь?

— Я потом с ней познакомлюсь... Ты не обидишься?

— Да с какой радости мне обижаться!

Все-таки я молодец, поздравила себя Наташа, сумела вернуть парня на пусть истинный...

— Наташка, что это за штука стоит в сортире? Похоже на кошачий лоток? — спросил вечером Глеб Витальевич.

— Ты на редкость наблюдателен! Это и есть кошачий лоток.

— Ты купила кошку? — просиял Глеб Витальевич.

— Не купила, а удочерила сироту.

Наташа рассказала мужу, как к ним попала Глаша.

— Но где же она?

— Прячется.

— Ну да, такой стресс... Ничего, наберусь терпения. Какая ты молодчина, Наташка.

Но долго ждать им не пришлось. Ночью, когда они спали, кошка забралась к ним в постель. Глеб Витальевич проснулся от того, что кошка принялась топтаться у него на груди.

— Ах ты господи, милая моя, — растроганно прошептал он и погладил круглую серую головку. Наташа уснула, не погасив свет на своей тумбочке, и он ясно видел нового члена семьи. И с ходу влюбился. Кошка, поняв, что ее не собираются прогонять, обнюхала нового хозяина, и, видимо, он ей понравился. Она улеглась на его подушку и запела. Но тут проснулась Наташа.

— Ой, Глеб, она пришла! И поет! Чудо какое!

— Наташка, она прекрасна, я в нее влюбился еще быстрее, чем в тебя!

— Я должна ревновать?

— Ни в коем случае!

Кошка поднялась на короткие лапки и ступила Наташе на грудь, потопталась теперь на ней и улеглась ровно между хозяевами.

— А который час? — спросила Наташа.

— Четыре!

— Ох, можно еще спать! — и она почти сразу уснула.

Боже мой, подумал Глеб Витальевич, я так счастлив, что даже страшно.

Прошло несколько дней. Это была пятница, Наташа весь день снималась. Глеб Витальевич в своем офисе занимался неотложными делами и документами, как вдруг в кабинет буквально ворвалась Люба. Он удивленно посмотрел на нее, это было не в ее правилах.

— Глеб Витальич! Там, в телевизоре ваша жена... бывшая... Дает интервью...

Кузьмин включил телевизор. Шло скандально известное ток-шоу. Людмила со скорбным видом вещала:

— А чему вы удивляетесь? Это так часто бывает. Женщина жизнь свою кладет, чтобы помочь мужчине подняться, а он, поднявшись, просто вышвыривает ее из дому. И, что еще ужаснее, отнимает детей!

— Ваш муж при разводе ничего вам не оставил? Все отобрал? — спросил ведущий. Было видно, что он не слишком ей верит, но положение обязывало. — А где же вы сейчас живете?

— Я снимаю квартиру. У меня теперь нет в Москве жилья.

— А вы работаете? У вас есть профессия?

— В том-то и беда, что профессии у меня нет. Я отдала Кузьмину всю молодость... А теперь... — она достала из кармана платочек и промокнула совершенно сухие глаза.

— Но вы официально разведены?

— Да. И он уже женился на своей...

Ее слова запикали.

— И что, при разводе вам ничего не досталось? В это слабо верится, — сказал один из гостей программы, известный в модных кругах пройдоха-адвокат.

— Нет, кое-что мне досталось, но гораздо меньше, чем положено по закону.

— Вы хотите сказать, что в суде закон был нарушен? — гнул свое пройдоха.

— Я не знаю... Дело не в дележе имущества, а в том, что у меня отняли детей!

— Боже, какая мразь! — прошептал Кузьмин.

— Выключить? — спросила Люба.

— Нет уж, я досмотрю.

— А дети-то у ней большие? — поинтересовалась какая-то тетка в студии.

— В самом деле, сколько лет вашим детям? — поддержал ее ведущий.

— Старшему девятнадцать, а младшему пятнадцать, — неохотно сообщила несчастная жертва.

— Но простите, как можно отнять столь взрослых детей? Старший уже совершеннолетний, и, как мы узнали, он учится в Англии.

— Кузьмин настроил детей против меня... Но я вижу, тут мне не верят, хотя чему удивляться, Кузьмин хозяин канала «Супер», и вы, очевидно, боитесь его. Поэтому я ухожу!

И она почти бегом выскочила из студии.

— Мы надеемся, что нам удастся переубедить нашу героиню. А пока реклама на нашем канале!

— Глеб Витальевич, вам плохо?

— Нет, мне хорошо, мне просто изумительно! Как я мог столько лет жить с такой... Но она ведь полная дура! Ее роскошная версия рассыпается у всех на глазах.

— Это да.

— Я не удивлюсь, если они выяснили все и про квартиру в Майами, и про загородный дом... Любаша, капни мне коньяку!

— Мне уйти?

— Нет, посиди тут, а то один я разгрохаю тут что-нибудь! А ты откуда про эту прелесть узнала?

— Жанне кто-то позвонил.

— Интересно, уйдет или уговорят?

— Думаю, так быстро она не сдаст свои позиции.

— То есть не уйдет?

— Нет. Что-то еще придумает. Скорее всего про безумную любовь.

— Про чью?

— Про свою к вам.

Но тут реклама закончилась. Пустили повтор последних кадров, где Людмила демонстративно уходит. Ведущий возвестил, что им удалось убедить гостью не покидать студию.

— Скажите, Людмила, а вам знакома ваша соперница?

— Нет, лично я с ней не знакома, хотя не раз говорила с ней по телефону.

— Кто же кому звонил?

— Ну, разумеется, она мне. Она мне угрожала.

— Чем?

— О, это было ужасно... Она так кричала! Я буквально видела, как она просто брызжет слюной... Она так нестерпимо вульгарно вела себя...

Кузьмин громко и грязно выругался.

— И вы никогда не видели эту женщину?

— Как не видела? Четыре раза в неделю любовалась на нее. Мой муж сделал из нее телеведущую! Подобрал где-то на помойке и пропихнул...

— Я ее прикончу! — не выдержал Кузьмин.

— Извините, — прервала Людмилу сидевшая среди гостей известная в прошлом актриса. — Но Завьялова высокопрофессиональный журналист с университетским образованием. Скажите, а какое у вас образование?

— Причем тут мое образование? Но если вам надо знать, я закончила театральное училище, но пожертвовала карьерой ради семьи, и вот каков финал...

— Знаете, я уже старый человек, у меня большой жизненный опыт, — продолжала пожилая актриса, — и я знаю, что никогда не надо жертвовать... Или уж молчать о своих жертвах. А то как-то несолидно получается...

— Вот вы тут все думаете — корыстная бабенка сводит счеты с бывшим мужем, а... Я просто не хотела говорить... не хотела затрагивать своих мальчиков...

Все взгляды в студии устремились на нее.

— Старший... Он уже по нашим законам совершеннолетний, но... я боюсь за младшего, который живет в одной квартире с этой женщиной...

— Что вы хотите этим сказать?

— Я знаю, что она... она спуталась с моим старшим сыном... И не могу поручиться, что еще не соблазнила младшего...

Дальнейшего Глеб Витальевич уже не видел. Он вскрикнул и сполз с кресла.

— Жанна, вызывай скорую! — крикнула верная Люба.

— Отмените третью и четвертую съемку! — распорядилась Инна Олеговна, шеф-редактор. — И осторожно сообщите Завьяловой, что Кузьмина увезли в больницу. Подозрение на инфаркт.

Наташа вышла из студии, еще полная сил.

— Наташ, на минутку! — взял ее за рукав режиссер.

— Что-то случилось?

— Мы отменили третью и четвертую съемки.

— Почему?

— Наташ!

— Что-то с Глебом? — догадалась она и страшно побледнела, это было видно даже под слоем грима. — Умер?

— Типун тебе на язык! Нет, сердечный приступ. Увезли в больницу. Снимай грим, машина будет через пять минут.

В этот момент зазвонил ее телефон.

— Алло! Наташа, это Верещагин. Глеб в больнице, это, кажется, не инфаркт. Приезжай.

— Ваня, а ты где, там?

— Да. Я был в офисе, когда ему стало плохо. И поехал с ним.

— Спасибо, Ванечка, я скоро буду, тут уже отменили съемки.

— Да, это я распорядился. Не медли, Наташа!

— Ваня, скажи, он... выживет?

— Да выживет, куда денется...

Иван встретил ее в вестибюле.

— Он уснул. Ему успокоительное вкололи.

— Я хочу его видеть.

— Конечно увидишь, но сейчас пусть хоть часок поспит, он был в страшном возбуждении...

— Что-то случилось?

Иван не знал, что сказать, и стоит ли вообще что-то говорить. Но тут же подумал, что Интернет уже наверняка взорвался фонтаном грязи... Лучше уж я ее подготовлю.

— Ваня, говори!

— Ладно, все равно узнаешь! Людмила в ток-шоу...

— Что?

— Сперва пыталась обвинить Глебку в том, что он ее обобрал и все в таком духе, ей как-то слабо верили, потом стала поливать грязью тебя, тоже не очень получалось, и тогда...

— Погоди, а Глеб это смотрел?

— Смотрел.

— И что там дальше было?

— Наташ, только держи себя в руках, ладно?

— Да говори уже!

— Она заявила, что ты спуталась с Юркой и теперь она боится за нравственность Леньки. Вот тут Глеб и грохнулся...

— То есть... он ей что ли поверил?

— Да ты что! Но от такой мерзости и посильнее Глеба мужик в обморок хлопнется.

— Ваня, но чего она добивается?

— Ничего. Просто мстит. Я всегда знал, что она дура, правда, масштабов не подозревал...

— Ну ладно, мстит Глебу, мне, а своим-то сыновьям за что? Но как можно было такое пускать в эфир?

— Ну, милая, рейтинги! Превыше всего!

— Бедные ребята. Ты представляешь, какая вонь сейчас поднимется?

— Прекрасно представляю... И тебе сейчас надо держать себя в руках. Сейчас ведь все злобные и сумасшедшие кинутся выплескивать эмоции в сети, не вздумай сейчас там шариться.

— Я ни в каких сетях не зарегистрирована.

— И у Аськи отбери гаджеты, ей тоже не будут давать проходу... Я убил бы эту бабу!

У Наташи зазвонил телефон. Номер был незнакомый.

— Алло!

— Наталья?

— Вы кто?

— Наталья, вы не дадите нам интервью? Это из газеты «Звездные войны».

— Нет, никаких интервью!

— Подождите! Это правда, что ваш муж...

— Правда в том, что из-за вас и вам подобных мой муж сейчас в больнице. И постарайтесь забыть о нас как можно скорее! — И, только выключив телефон, Наташа крепко выругалась.

— Правильно! — одобрил Верещагин. — Ругайся, Наташка, и чем крепче, тем лучше! Снимает стресс!

— Вань, я хоть одним глазком на него взгляну.

— Сиди!

— Он в отдельной палате?

— А то! Я за всем проследил и буду тут с тобой, пока нас не выгонят.

— Спасибо, Ванечка. А что все-таки врачи говорят?

— Наташ, если бы дело обстояло совсем плохо, наш Хлебушек лежал бы сейчас в реанимации, а не в обычной палате, хоть это ты можешь понять?

— Да, правда... Я так испугалась, что мне мозги отшибло. Как хорошо, Ванечка, что не в реанимации...

— Наташ, ты так его любишь?

— Господи, я даже не знала, что во мне помещается столько любви...

— Черт-те что и сбоку бантик!

— Ты о чем?

— Понимаешь, я тебе верю... Хотя в нашем кругу это какой-то нонсенс. Глебка, когда его увозили в палату, тоже прошептал: «Позаботься о Наташке, я так ее люблю...» Значит, есть все-таки эта штука... И только мне не везет?

— Вань, а Таня?

— Таня? Не вышло у нас... Не созданы мы друг для друга, хотя она прелестная женщина и человек хороший, но... Видно, я какой-то урод... Вон, даже про вашу великую любовь только и смог сказать: черт-те что и сбоку бантик.

Она подняла у нему зареванное лицо и улыбнулась.

— Мне нравится, а то мы с Глебом называли нашу любовь «цунами». Но это как-то чересчур пафосно... Мне больше нравится — черт-те что и сбоку бантик!

Он посмотрел на нее с изумлением.

— Все, я больше не выдержу! Я знаю, он уже проснулся.

Она подбежала к палате и открыла дверь. Глеб Витальевич лежал с капельницей. И сразу открыл глаза.

— Глеб! — кинулась к нему Наташа.

— Напугал я тебя?

— Не то слово! Что это было, Глеб?

— Приступ бешенства! Не бойся, Наташка, она не дождется... Не сделаю я ей такого подарка, этой гадине. Знаешь, я ненавижу всякие революции, в принципе...

— Глеб! — испугалась Наташа.

— Это не бред, — усмехнулся он. — Просто я не договорил... Не помню, кто-то из великих сказал, что революция пожирает своих детей. Вот и она... собственных детей не пожалела, тварь. Не понимает что ли, что после такого пассажа они даже смотреть в ее сторону не захотят? Наташка, забери меня домой! Хочу к Глаше! Она меня лучше всяких капельниц вылечит.

— Глеб, если врачи разрешат...

— А я им дам расписку.

— Послушай, давай договоримся так — я сейчас попрошу Ваню поговорить с врачом...

— А он тут еще?

— Да. И говорит, что не оставит меня. Хотя нет. Лучше я его к тебе запущу, а с врачом сама поговорю. Мне так спокойнее будет.

— Наташка, если ты меня тут оставишь...

— Тогда я тоже тут с тобой останусь. Нина Филипповна о ребятах позаботится.

— Тогда я согласен.

— Какие вы, мужики, капризные и противные, когда болеете...

Наташа отправилась искать врача.

Он сказал ей, что это был гипертонический криз, сейчас давление нормализовалось, и, если к утру оно не поднимется, можно будет забрать больного домой.

— Отпущу с легким сердцем, пребывание в больнице уже само по себе может быть раздражающим фактором и привести к повышению давления.

— Доктор, тогда я останусь с ним, иначе никому мало не покажется, — улыбнулась она.

— Хорошо, оставайтесь, я распоряжусь. У вас прекрасная аура.

— Спасибо, доктор!

— Знаете, я иногда смотрю вашу программу, у меня это редко получается, но... А моя жена просто ваша фанатка.

— Спасибо. Мне приятно это слышать.

Наташа вернулась в палату.

— Ну что? — в один голос спросили друзья.

— Остаемся тут до утра, если утром давление будет в норме, поедешь домой. У тебя просто был гипертонический криз. А в целом, по первым прикидкам, сказал доктор, ты для своего возраста достаточно здоровый тип.

— А то!

— Но придется пить таблетки, следить за давлением...

— Еще чего!

— Ты будешь это делать, впрочем, делать это буду я!

— Наташка, не занудничай!

— Глебка, мне овдоветь не хочется...

— О! Сейчас начнутся сладкие разговоры, я лучше пойду! Наташ, мне приехать завтра за ним?

— Нечего! Лучше займись делами, мне же небось запретят пока работать...

— Это точно! — заметила Наташа.

— И ведь эта мегера будет соблюдать все предписания врачей!

— Это Наташка-то мегера? — засмеялся Верещагин. — Кто же тогда Людмила?

— Революция!

Иван слегка опешил, а потом фыркнул:

— Которая пожирает своих детей?

— Наташка, ты теперь понимаешь, почему мы столько лет дружим?

— Это все очень мило, ребята, но сейчас я должен найти Леньку! Ему в этой истории хуже всех будет!

— Да, дружище, ты прав!

— Не волнуйтесь, ребята, и положитесь на меня!

По телефону Иван выяснил, что Леня занимается в своей квартире. И поехал прямо туда. Позвонил в дверь.

— Кто там?

— Ленька, открывай, это дядя Иван.

Дверь распахнулась. По лицу юноши Иван понял, что тот еще ничего не знает.

— Дядя Ваня, какими судьбами?

— Побазарить надо, друг мой Ленька!

— Что-то случилось?

— Случилось. Много чего. Отец в больнице, но завтра его уже скорее всего выпишут.

— Да? А Наташа знает?

— Наташа с ним. Будем считать, что он отделался легким испугом.

— Что-то с машиной? Он в аварию попал?

— Нет. Просто... Понервничал сверх меры.

— Что-то на работе?

— Лень, у тебя тут кофе есть?

— Кофе? Нет, у меня тут только чай...

— Чаю не хочу! Ладно. Короче, Людмила дала чудовищное интервью, просто чудовищное, другого слова нет.

— Папа из-за этого?

— Да.

— Какие-нибудь гадости про Наташу?

— Именно. Про Наташу и про вас с Юркой.

— Где?

— Что где?

— Где она дала это интервью?

— На телевидении.

Леня схватил айпэд.

— На каком канале?

— Лень, не надо, а?

— Надо, дядя Ваня, надо! Я должен это знать.

— Может ты и прав, парень! Ты ж мужчина, в конце-то концов. Знаешь, ты иди в комнату, а я тут... У тебя случайно мороженого нет?

— Мороженое есть! В морозилке! Берите!

— Спасибо! Это как раз то, что мне сейчас нужно.

Иван достал из морозилки ведерко с мороженым, взял ложку и начал отковыривать мороженое прямо из ведерка. Оно сперва плохо поддавалось, а потом чуть подтаяло и дело пошло быстрее.

Когда Леня вернулся на кухню, Иван практически прикончил ведерко. Мальчик был бледен как мел.

— Дядя Ваня!

— Понравилось?

— Как это понимать?

— Да что понимать? Мерзота блевотная!

— Да. Я согласен. И я уже принял меры.

— Ты? Какие меры ты принял, Ленька?

— Я написал ей в фейсбуке, пусть все видят.

— Что ты ей написал?

— Что женщина, которая использует своих сыновей как разменную монету в злобной клевете, я своей матерью считать не хочу! И убежден, что старший брат меня поддержит. Вот.

— Ленька! У меня нет слов! Лучше, лаконичнее и убедительнее ничего сказать было нельзя!

И убийственнее! Дай лапу! Ты настоящий мужик, с большой буквы!

— И еще... я внес ее в черные списки во всех соцсетях. Не хочу даже знать о ней...

— Круто! Знаешь, я горжусь тем, что знаком с таким парнем! Ой, а я все твое мороженое слопал на нервной почве. Все думал, как ты отреагируешь!

— Я думаю, теперь никто не посмеет до меня докапываться!

— Ну, журналюги будут к тебе лезть, в школе отлавливать.

— Это их работа. А я буду отвечать им всего два слова: «Без комментариев»!

Иван был так впечатлен реакцией Лени, что помчался обратно в больницу. Его не хотели было пускать, приемные часы уже час как закончились, но в результате, конечно же, пустили. Он приоткрыл дверь палаты. Наташа как раз вкладывала в рот мужу дольку апельсина.

— Ваня? — безмерно удивились они. Но не встревожились, так как Иван улыбался во весь рот. — Чего прискакал?

— Ребята, меня так распирает, что просто не мог с вами не поделиться. Знаете, как отреагировал Ленька на мамочкины экзерсисы?

И он рассказал им все.

— Невероятно! — воскликнул Кузьмин.

— А я ждала чего-то подобного, — сказала Наташа. — Он удивительно умный и какой-то настоящий, наш Ленька.

— А вот я тупой, — заметил вдруг Кузьмин, — меня пока не шелдарахнет по башке, я ни хрена не вижу. Пока не втюрился как бешеный в Наташку, не понимал, с какой Горгоной живу, пока эта Горгона сыновей ядом не облила, не понимал, какой у меня сын...

На глаза ему навернулись слезы.

Чтобы немного сбить пафос, Иван доложил:

— А я, скорее всего, завтра слягу с ангиной! Я пока ждал, что Ленька посмотрит мамкино интервью, сожрал у него на кухне целое ведерко мороженого. На нервной почве. Парень его только сверху поковырял, я дядя Ваня слопал все до донышка. Наташ, возмести ему этот убыток, если я завтра свалюсь.

— Непременно!

Шумиха в прессе и в Интернете продолжалась, Людмила, правда, больше на телеэкранах не появлялась. И где-то промелькнуло сообщение, что она улетела в Майами. Юра написал брату: «Ленчик, ты молодец, настоящий мужик! А я даже не очень удивился поступку экс-мадам Кузьминой. Очень в ее духе. Ты там отца береги, хотя Наташа и так его бережет. Мне здорово понравилось, как она с тобой поговорила про школу, она вообще супер! У нашего папы теперь все супер — и канал, и жена, и, главное, сыновья! Держись, братишка, я с тобой!»

Глеб Витальевич два дня просидел дома, а на третий, конечно же, вышел на работу.

— Я уже здоров как бык! Меня Глаха вылечила. Это лучшая кошка в мире! Какие она позы принимает, умора! Наташка, чтобы я без тебя делал, скажи на милость?

— Жил бы себе спокойно... А то все масс-медиа как с цепи сорвались!

— А я туда не заглядываю! Я живу в своем мире, и сплетни меня не волнуют, привык уже. Знаешь как в Советском Союзе писали про западные средства массовой информации — пусть клевещут! И наши тоже — пусть себе клевещут на здоровье!

Мало-помалу скандал утих. Наташа работала с утра до вечера, ее приглашали в разные телепрограммы, половину приглашений она отклоняла, но даже оставшаяся половина сжирала кучу времени. Она бы с радостью отказывалась от всех приглашений, но Глеб Витальевич настаивал на том, чтобы она появлялась на других каналах тоже. И однажды в гримерной она нос к носу столкнулась с бывшим мужем.

— Артур? Ты что тут делаешь? — удивилась она.

— Да вот, пригласили участвовать... Уже в третий раз. Как ты живешь, Натуль?

— Да вроде нормально.

— Как пережила эту вакханалию?

— Ох, не говори. А как ты? Не женился еще?

— Нет, я не спешу.

— Наслаждаешься свободой?

— Есть и такой момент, — рассмеялся он. — Да, ты не против, если я на зимние каникулы повезу Аську на Канары?

— Отлично, только не меньше чем на две недели, а то акклиматизация, то, се...

— Там даже чуть больше получается. Пусть побудет в хорошем климате, покупается в теплом океане...

— Хорошая мысль. Только...

— Не надо меня предупреждать, чтобы я не спускал с нее глаз и все в таком роде. Я и сам это знаю.

— Конечно, ты прав. Отец ты хороший.

— Хочешь сказать, я был плохим мужем?

— Да нет... По нынешним временам совсем неплохим, даже просто хорошим. И вообще, ты хороший парень, Артур... — улыбнулась Наташа. — Ты не стал в позу, не мучил меня, как другие... И я тебе очень благодарна.

— И не давал злобных и грязных интервью...

— Вот именно.

— Скажи... я задам тебе жутко банальный и даже в некотором роде идиотский вопрос... Ты счастлива?

— Вопрос и вправду не очень, — засмеялась она, — но, наверное, все-таки да, несмотря ни на что...

Перед Новым годом устраивалась корпоративная вечеринка. Был снят большой ресторан, на канале к этому вечеру тщательно готовились. Наташа попробовала заикнуться мужу, что хорошо бы ей не пойти, но ответ был кратким:

— И не мечтай!

По тону Глеба Витальевича она поняла, что и впрямь мечтать об этом бессмысленно. На очередной примерке она спросила у женщины, отдавшей им Глашу, можно ли в их фирме заказать вечерний туалет для корпоратива.

— Наташа, в фирме не надо, я сама вам сошью все, что захотите, это вам куда дешевле обойдется, да и лучше... И пусть вас не смущает, что я работаю тут на таких ролях...

— Ох, меня это абсолютно не смущает!

— Я знаю, что вам подойдет. Будете довольны, и всех на канале убьете, только мне кажется, вам надо будет чуть покороче подстричься...

— Как интересно! И что это будет?

— Это будет... Это будет черный смокинг на голое тело, с брюками и бабочкой на голую шею...

— Соня, вы просто угадали... я давно вынашивала эту мысль, правда, не знаю как насчет бабочки...

— А это мы прикинем.

С утра Наташа поехала в салон красоты, потом к Соне за новым туалетом, но перед Новым годом в Москве передвигаться практически невозможно, и в результате уже готовая, одетая, с новой прической, уже в трех кварталах от ресторана, она попала в очередную пробку.

— Глеб, я опоздаю! Торчу в пробке!

— Только не нервничай! Ничего, не на самолет! И ты должна быть красивее всех! Поэтому займись чем-нибудь приятным.

— Интересное кино! Чем это я могу заняться?

— А ты посмотри, что я тебе прислал...

— Глеб, что ты там мне прислал?

— Что-то очень приятное... Все, меня зовут.

Наташа вытащила из сумки айфон. И расхохоталась. Глеб прислал ей видео, снятое, очевидно, им самим — под названием «Лучшая кошка в мире!». Глаша в ее любимой позе суриката, стоящего столбиком, Глаша, валяющаяся в разных уморительных позах, Глаша на руках у Аськи, Глаша за едой... Надо же, он ведь еще не знал, что я застряну в пробке, мог бы показать мне эту съемку дома... Как он меня чувствует...

— Глеб, а где жена? — спросил Верещагин.

— В пробке, — вздохнул Кузьмин. — Но она недалеко, надеюсь, скоро появится.

— А вот и она! — первым ее заметил Иван. — Обалдеть!

— Ух ты! — выдохнул Глеб Витальевич.

Наташа шла к ним навстречу под перекрестными взглядами всех гостей. В этих взглядах было все — и восхищение, и жгучая зависть, и ненависть... Только бы не споткнуться, только бы не упасть... Но тут она увидела Глеба. И сразу успокоилась. Она шла теперь, как корабль на свет маяка, и ничего больше не боялась.

— Наташка, какой туалет! А это... у тебя под этой кофтой...

— Фи, Глеб, какая кофта! Это смокинг! — рассмеялась Наташа, страшно довольная произведенным эффектом.

— Ладно, пусть смокинг, а под ним хоть что-то есть?

— Глебка, ты выяснишь это потом! — заметил Иван. — А рассчитано на то, чтобы все терзались этим вопросом, я прав, Наташ?

— Прав! Я вам нравлюсь в этом?

— Супер! — проговорил восхищенный муж.

— Черт-те что! Ох, Наташ, я же пропустил твой день рождения. А подарок приготовил! И ты поймешь, что он означает.

Верещагин достал из кармана маленький ювелирный футляр.

— Вот, это тебе! И по-моему, я в точности угадал...

— Что это?

— Открой и посмотри!

Наташа открыла футляр и рассмеялась. Там лежал маленький, удивительно изящный бантик из белого золота с мелкими бриллиантиками.

— Ваня, какая прелесть!

— Глеб, приколи жене этот бантик, мне как-то неловко.

— Что происходит?

Он переводил взгляд с жены на друга и с друга на жену.

— Да ничего, Глебка, все, что возможно, уже произошло. Посмотри какая женщина тебе досталась — просто черт-те что...

— А! Я понял — черт-те что и сбоку бантик!

Литературно-художественное издание

16+

Екатерина Николаевна Вильмонт

ЧЕРТ-ТЕ ЧТО И СБОКУ БАНТИК

РОМАН

Редакционно-издательская группа «Жанры»
Зав. группой М.С. Сергеева

Руководитель направления И.Н. Архарова
Технический редактор Н.И. Духанина
Корректор И.Н. Мокина
Компьютерная верстка С.Б. Клещёв

Подписано в печать 28.05.14 г. Формат 84×108 $^{1}/_{32}$.
Усл. печ. л. 16,8. Тираж 35 000 экз. Заказ №0827/14.

ООО «Издательство АСТ»
129085, г. Москва, Звездный бульвар, д. 21, строение 3, комната 5

Наши электронные адреса:
www.ast.ru
E-mail: astpub@aha.ru

Отпечатано в соответствии с предоставленными материалами
в ООО «ИПК Парето-Принт», 170546, Тверская область,
Промышленная зона Боровлево-1, комплекс №3А, www.pareto-print.ru